JN115383

岡山まちづくり探検

地方創生時代の市民活動集

はじめに

地方創生が叫ばれる中、岡山のまちづくりに何が起きているのか。それを、様々な取り組みを行う人々から確かめたいと思って書き始めたのが、岡山まちづくり探検だ。本書は、2015年11月から2021年5月まで山陽新聞デジタルに掲載したコラム「岡山まちづくり探検」をまとめたものだ。筆者は岡山大学地域総合研究センターの教員として、国内外の都市を巡っている。本書では岡山市、倉敷市、矢掛町をはじめとした岡山県各地、そして、アメリカのポートランド市やフランスのストラスブール市を含めて、研究や教育の交流でお世話になった地域を紹介している。持続可能な都市に向けて、市民や行政はどのようなまちづくりを展開しているのだろうか。住みやすい都市づくりには、都市計画や市民参画の双方が必要だ。本書が注目したのは、地域に住む人々の暮らしや考え方、風土がまちづくりに与える影響だ。まちの個性とは、人々のライフスタイルそのものだからだ。それでは、住みやすさは、いったい何なのか。様々な人へのインタビューをもとに、岡山のまちづくりを探検する。

岡山は「晴れの国」と呼ばれるように気候も穏やかで、２０１８年の西日本豪雨は経験したものの、天災も少ない地域と言われている。また、桃やブドウに代表されるフルーツ王国だ。肥沃な土地でありながら、美しい瀬戸内海にも面している。そのような土地柄のためか、人も穏やかで、かつ、控えめであり、それぞれのペースでまちづくりが進められている。筆者は２０１１年から岡山大学で教鞭をとっている。そこで思うのは、岡山には、ＥＳＤ、ＳＤＧｓ、環境、中山間地域、再生可能なエネルギー、文化・アートを含めて多彩な資源があるのだが、情報発信が弱く、市民がアクセスしづらい状況にあることだ。地域のみなさんは、日々の取り組みを前進させることで精一杯であり、それを振り返り、まとめるといった時間をなかなか取ることができない。そこで、まちづくりを市民活動として位置づけ、少しずつ記事として残していった。その中で気づいたのは、地方の現状として、一人が二役、三役をこなしながら地域を支えていることだ。岡山のような地方都市で生活してみると、地域が人のネットワークで成り立っているのがよく分かる。そこで、人から人へと広がるまちづくりの世界を追いかけることにした。

地方のまちづくりは、限られた地域の資源を使いこなし、外からのアイデアや応援団を受け入れながら、イノベーションを起こすものだ。人材、情報、資金が集まりやすい大都市とは、少し趣が違うのだ。地域の魅力は、いきいきとした人そのものにある。岡山の様々な取り組みを紹介していけば、地方の可能性について分析するだけではなく、岡山独自の魅力も徐々に浮かび上が

閑谷学校の入り口。探検の始まりだ

り、全国の読者とも連携が取れるきっかけになるはずだと考えた。

本書の内容は、公園活用、中心市街地活性化、公共交通の活用、中山間地域のまちづくり、留学生交流など多岐にわたっており、楽しみながらまちづくりに触れていくというコンセプトで書かれてきた。本書には48編（岡山市17編、倉敷市7編、矢掛町7編、岡山県7編、世界10編）を収録し、内容も一部加筆修正した。探検は現在も進行中だが、まずは5年分の探検報告を楽しんでもらいたい。

２０２１年10月吉日

岩淵　泰

もくじ◎岡山まちづくり探検

岡山市のまちづくり

倉敷市のまちづくり

矢掛町のまちづくり

岡山県のまちづくり

世界のまちづくり

岡山市のまちづくり

西川緑道公園

歩きたくなるまち

地方創生が重要視される中で、岡山の魅力はどこにあるのか。岡山から世界の暮らしに触れながら、読者のみなさんとまちづくり探検を始めたい。

社会のグローバル化が進むにつれてニューヨーク、パリ、上海、東京などで都市間競争が激しくなっている。岡山のような地方中核都市では、経済競争だけではなく暮らしやすさを磨くことが大切であり、中でも「歩きやすさ」は、元気な都市のキーワードだ。歩きやすい中心市街地は人々にどのような影響を与えるのだろうか。車を降りて、街を歩くと、カフェや買い物などの滞留時間が増える。人が集まることでクリエイティブな経済・社会活動も生まれる。公共交通を有効に使えば、二酸化炭素も減り、人も街も健康になる。

２０１５年５月、10月、11月に岡山市北区の西川緑道公園筋で交通社会実験が行われた。西川筋では１９７１年、１９８６年、１９９８年など約15年おきに歩行者天国が開催されている。

１９７１年、西川緑道公園が誕生する前、岡山青年会議所は、高度経済成長による生活環境の歪みを反省し、「人間性回復」をテーマに夏祭りを開催した。当時は、日本各地で公害問題が起き

大勢の市民でにぎわう有機生活マーケットいち

ていた。岡山市では車の交通量が増えていき、用水にはゴミが投げ捨てられるようになった。そこで連合町内会は清掃活動を始め、経済界はイベントを通じて西川を人が集う場所に変えようとし、行政は西川緑道公園の建設に尽力した。続いて、1986年、若手の建築士グループである「チーム25」は、西川フリーマーケットにあわせて歩行者天国を開催した。西川緑道公園は素敵な公園であるのに、市民にあまり利用されていないと考えた彼らは、イベントを通じて人を集め、西川沿いのモール化（散歩道化）を進めようとした。また、1999年、市民グループ「RACDA」が岡山商工会議所と連携しながら全国初の西川トランジットモール実験を行った。これは、路面電車を含んだ公共交通による都市改造を意識したものだ。そして2010年には、西川パフォーマー事業が始まったのをきっかけに、有機生活マーケットいち、満月BAR、キャンドルナイトなど市民団体の活動がにぎわいを生み、それが２０１５年の交通社会実験につながった。このように歩行者天国が行われる時、まちづくり団体の変遷にも注目してみると面白い。

西川で続く40年の取り組みを振り返ってみると、成功や失敗を繰り返しながら、歩きやすいまちを目指す市民活動が蓄積されてきたことが分かる。課題として挙げるなら、それぞれが独立してイニシアチブを発揮したため、諸団体との連携や継続がスムーズに進まなかった点だ。

本年度の交通社会実験をまちづくりに活かすには、岡山市によるコンパクトシティの政策に加えて、市民や団体と連携して歩きたくなるまちの雰囲気を醸成することが大切だ。そこから、気持ちよく歩き、楽しく自転車に乗り、元気に走るといった岡山流のライフスタイルが生まれるはずだ。交通社会実験への関心は必ずしも高くないが、将来のまちづくりを占う重要な試金石には違いないのである。


（２０１５／11／16）

西川アゴラの誕生

西川緑道公園沿い、バプテスト教会横の伊達ビル2階に西川アゴラがある。西川アゴラは、2015年10月、岡山市と岡山大学が、中心市街地のまちづくり拠点として開設したものだ。満月BARやNPO法人タブララサのミーティング、諸団体のイベントなど幅広く利用されている。今回は、西川アゴラの誕生を振り返りたい。

岡山大学地域総合研究センターは、2011年11月に開所した。そのミッションは、学都岡山の実現に向けて、大学と地域の協働態勢を築くことだ。一方、岡山市も若者と連携したにぎわいづくりを考えていた。そこで、両者は、2012年から西川緑道公園の調査を通じて、若者の力をまちづくりに循環させる仕組みを検討していく。イベント・モニタリングや交通量調査のほか、西川ヒアリングと呼ぶ聞き取り調査も行った。聞き取り調査の目的は、学生自身が西川界隈に住む人々の暮らしや市民活動の変遷を整理することだ。各種調査を続けていくと、学生やまちづくり団体から、イベントや会議をするにも、中心市街地に拠点がなければ、活動がやりにくいとの声があがった。市と大学は、この意見をヒントに西川緑道公園周辺で空き物件を探し始めた。しかし、限られた予算と運営の点で場所探しは難航した。転機が訪れたのは、学生たちの聞き取り調査であった。ある日、調査が終わった後、拠点構想を伊達ビルオーナーに相談した。オーナーが所有する「伊達画廊」は、かつて若いアーティストが集うサロンであったそうだ。オーナーは、学生たちが社会のルールを守り、人に迷惑をかけないことを条件に了承してくださり、まちづくり拠点・西川アゴラが動き出した。

学生や教員が語り合う西川アゴラ

アゴラとはギリシャ語で、話し合いから生まれる民主主義の空間を意味する。みんなのための空間だ。西川アゴラには、そこが自由で活発な公共空間となり、岡山のまちづくりを刺激することが期待された。まちづくり拠点・西川アゴラは、岡山市中心市街地の変化と共に、市民、行政、大学の結節点として機能していくだろう。

（2015／12／8）

西川緑道公園まちづくりの系譜

市民の思いと力を引き出せ

２０１６年4月30日、西川緑道公園筋では、昨年度に続き歩行者天国が行われた。イベントを請け負ったのはＮＰＯ法人タブララサで、道路にハンモックが置かれ、キャンドルナイトも開催された。公園と道路が一体となり、歩行者優先の公共空間に変わると、子どもたちやベビーカーを押す人も見受けられ、ゆったりとしたにぎわいが生まれていた。路上にはテーブルが置かれ、ランチを注文したり、本を読んだりするなど、人々は思い思いの時間を楽しんでいた。

30年前の１９８６年、チーム25が、中心市街地のあり方を明示した「西川まちづくり憲章」を策定した。憲章には、公園両サイドにある車道のモール化（散歩道化）、公園の中に「集い、憩い、楽しむ」要素を取り入れること、そして、両側の建物を景観にマッチさせることの三つを掲げた。当時は市民協働という言葉もなく、市民と行政の連携は限定的であったという。今でこそ西川界隈では、市民の力があってこそにぎわいが生まれるのだという認識があるが、それとは大きな違いである。

公園のにぎわいを地域に根付かせる努力は始まったばかりだ。いまやるべき作業は、店舗、業

ハンモックでくつろぐ親子連れ

者、住民の方々が、西川緑道公園にどのような思いを持っているのかを聞き出すことだ。ある会議で住民の方から「歩行者天国で中心市街地はどのように変わっていくのか」という質問を受けた。地域住民にとっては素直な意見である。歩行者優先のまちづくりにも、賛成・反対の双方の評価があることを忘れてはならない。

高度経済成長期の西川用水はゴミで汚れていたため、水路を蓋でふさいだ方が良いとの意見もあったそうだ。もしそうなっていれば、中心市街地の姿は大きく変わっていただろう。一番大切なことは、西川緑道公園を使いこなすことだ。それは、先人から続くまちづくりを継承することでもあり、市民のための空間を生み出すことにもつながるはずだ。

（2016／5／2）

京橋朝市のはじまり話

「面白いことをできることから」

「岡山も光り輝くようなまちになってもらいたい。そのために、自分たちで何かできることからやっていこうよ、ということが大事なんよ」

京橋朝市の実行委員長・大島正勝さんの言葉だ。岡山市北区京橋町、京橋西詰めの旭川河川敷広場一帯で毎月第1日曜日、日の出とともに、どんな雨でも必ず朝市は開催されている。１９８９年から２０１６年12月までに３５５回の開催。野菜や魚、地元の特産品、ラーメン、コーヒー、パン、ケーキなど新鮮で美味しいものが手に入る、岡山を代表するマーケットだ。「面白いことはやってみよう」という、明るく、力強い言葉に30年前の意気込みが感じられる。

京橋朝市は、１９８０年代の岡山・京橋～高松間ホバークラフト航路開設運動を契機に結成された岡山未来デザイン委員会の動きにあわせて誕生した。この委員会は、岡山空港の設置や瀬戸大橋の開通など、まちづくりの熱が高まっていった時期に、商業関係者、研究者、まちづくり専門家といった有志で構成された。岡山未来デザイン委員会は１９８６年、若手建築家グループのチーム25と協力して、西川フリーマーケットを開催したあとに、京橋朝市に拠点を移している。京

京橋西詰めで毎月開かれる京橋朝市

橋は、山陽道の通る陸の大動脈であり、また、瀬戸内海へと抜ける海上交通の要所でもあった。かつての京橋は、大変にぎわった場所だったのだ。当時の長野士郎知事（在職：1972年〜1996年）は、岡山県を地産地消の県にしたいと考えていたことから、フリーマーケットのノウハウを積んだ未来デザイン委員会を支援した背景もあったようだ。大島さんらは、「京橋は今は寂れているが、かつては岡山で一番にぎやかな場所であった」と地元の商店街や町内会に呼びかけて、朝市の開催にこぎつけた。その後京橋朝市は、ボランティアに支えられながら、赤字も出さずに続けられている。なにより、出店する人、買い物を楽しむ人、そして、岡山に住む人の応援を受け、ファンを増やしている。大島さんは言う。

「よく京橋朝市は、岡山市がやっとると勘違いされるが、実際は行政ではなくボランティアがやっている。

『面白いことはやれー』の雰囲気が昔はあった」

この先輩には頭が上がらないなと、筆者と同席した市職員も唸るほかなく、12月29日の〆市（とめいち）での再会を約束したのであった。

（2016／12／12）

西川緑道公園と伊藤邦衛氏

設計哲学に「用と景」

2017年2月27日、西川アゴラで、西川緑道公園を設計し、昨年他界した伊藤邦衛氏の造園哲学を振り返る会を開催した。伊藤氏の娘であり、秘書を務めた齋藤菜々子氏が講師となり、伊藤氏の人となりや作品についてお話をしてくださった。伊藤氏が残した写真をスライドに映す中で、西川緑道公園の面白い特徴が浮かび上がってきた。

「まず、この石組みです。石組みも、いろんな性格があります。ちょっとした自己主張があるところ。それから工夫が見られるところ。多分ここはこういう困ったところがあったのを、なんとかここを見せてやれみたいな、そのようなところを懐かしく思いました。植栽等じゃなくて、石の組み方に関して懐かしいと思いました」

値段の安い石の廃材を集めて、組み方できれいに見せるのが伊藤氏のこだわりだ。石に刻まれた杭やドリルの跡もそのまま活かして組み立てていく。齋藤氏は石組みに関するエピソードを教えてくれた。クレーンを使って、そそり立つ石を配置する。石の配置は伊藤氏にとって、何よりも楽しい時間であったそうだ。「ちょっと右、ちょっと右、左に、そのまま降ろして、よし決まった」。そのようにうまくいくと、帰宅してから食卓の時間まで、興奮して公園作りの話をしたそうだ。

伊藤氏の公園設計に石が欠かせないのはなぜか。自然には朽ち果てて変わるものがある。それでも、石は残る。朽ちたものはまた新しく育っていく。伊藤氏は、公園も自然も私たちも、循環の中で生きていると考えていた。何気なく歩いている公園にも設計者の思想が宿っている。伊藤氏の造園哲学は「用と景」だ。齋藤氏は伊藤氏が大切にしてきたものを次のように語る。

「父は『用と景』とさかんに言っていました。用は機能のこと、そして、景は修景的な美しさ。公園は用と景が一緒になるのが持論です。ベンチも機能が求められ、美がそえられる。また、父にとって、公園の原型は鎮守の森であり、お地蔵さまです。お地蔵さまがあって、祭事があって、みんなが集まるランドマークがあって、それが公園の原型となるのです。信仰、遊び、道しるべがあって、待ち合わせの場所があるのです」

西川緑道公園には、小さなお宮やお地蔵さまもあり、そこには、地域の暮らしも溶け込んでいる。また、流れる用水も、岡山市の農業にとっての生命線である。

現在の西川緑道公園は、東西に一車線ずつ道路が走っているが、当初の計画は、緊急車両以外は通行できない、広い公園を想定していた。車社会が到来する時代であり、西川緑道公園の建設を巡って、岡山市と地域住民には緊張関係が生じていた。

石材の配置も角度も様々で、見ていると楽しい

石材のパーゴラも特徴的だ

「西川緑道公園をお引き受けしたのは、市長さん（故・岡崎平夫氏）がとても熱心でいらして、その方が、建設省のどなたかにご相談になり、そこから父が紹介されたと聞いております。お引き受けしたのは昭和47（1972）年ごろ。そのころのことを父は本当によく覚えていまして、

（西川緑道公園の建設に）反対があるっていうのは全く気にしていませんでした。とにかく、作らせてもらったら、必ず気に入っていただけるはずだと。そして、『燃えるなぁ』みたいな言い方をしていました。父はわりと奇抜なことを言って、市役所の人をびっくりさせるのが好きと言うか、そういうこともたくさんありました。普通では考えないことを提案して、反対され、熱意を持って説明をし、工夫をし、話を聞いてまとめるというのが得意というか、何度も経験してきたことなのだと思います。西川のときには特に父の方に周囲の方たちが楽しめるものなのだっていう思いがあったものですから、『絶対に気に入ってもらえるだろう』っていう確信がありました」

筆者も伊藤氏に一度だけお会いする機会があったが、温和な伊藤氏が、反対運動があったとしても、必ず受け入れられるのだという熱い気持ちで臨んでいたのは初めて知り、驚いた。岡山市で何が起こっていたのかを把握した上で、公園設計を通じて伊藤氏自身の思いを投影していたのだ。

1976年の中心部エリアが完成した後、こんなに素晴らしい公園ならぜひ延長してほしいという要望が岡山市に持ちかけられた。そこで、1979年、南部エリアの枝川緑道公園が完成、そして、1983年には、桃太郎大通りから北部エリアが完成している。齋藤氏によると、歩いて楽しむという回遊式の公園を得意とした伊藤氏は、北から南までの設計を三回に分けず、一度で手掛けてみたかったそうだ。ただ、日本全国を見渡しても、全長2・4㎞という長さの都市型公園を一人の造園家が手がけた事例は岡山にしかないそうだ。西川緑道公園の誕生の歴史を追っていくと、造園家と地域の物語を知ることができる。

（2017／3／16）

造園哲学と市民の空間

筆者が初めて岡山駅を降りて、後楽園に向かおうとしたとき、西川緑道公園の緑の繋りに吸い込まれる感覚になったのを覚えている。公園を手掛けた伊藤邦衛氏の娘・齋藤菜々子氏によれば、伊藤氏の造園哲学には、歩いていると景色が変わっていくなど、ワクワク感や楽しさが込められているそうだ。齋藤氏は、イベントが増え、にぎわっている西川緑道公園のありかたについて大事な視点を教えてくれた。

「父の持論はいくつかあって、鎮守の森が公園の原型だということです。それと、市民の身近な公園は、いわゆる舞台装置であることです。人々の生活を劇に例えると、中心にあるのは必ず人であり、生活です。公園や庭の役割は、それを輝かせ、活かす舞台装置のようなものだと父は言っていました。ですから、舞台装置だけが喝采を浴びても、また、役者がのけ者になっても、眺めるだけでもおかしいわけです。人は公園を変えて、育てる。周囲の人たちの生活が変われば、舞台装置である公園も当然変わっていくのです」

人も公園も変わっていく。樹木は育てば枯れていくが、石と水の流れは変わらない。公園は、子どもの遊び場だけではなく、地域と生きていくものなのだ。伊藤氏が石と水を設計で大切にしたのは、地域一帯が変化しても、変わらない骨格を公園に残すためだ。公園の核がしっかり確立できれば、変化に順応し、市民と共生する公園として残っていくだろう。公園の本質は、人が集まる公共空間である。伊藤氏はそのことを語っているのだ。最後に齋藤氏は、次のように話してくれた。

「晩年、私がどの公園が父の代表作なのって言ったときに、まずは、皆さんよくご存じなように東京の昭和記念公園、それから故郷の広島の三渓園を挙げて、西川緑道公園の名前が挙がりました。だから、やはり父にとってはそれだけ思い入れの深い好きな公園だったと思います」

勉強会の中で、西川緑道公園によく似た公園があるのが分かってきた。伊藤氏の手がけた東京都新宿遊歩道と宇都宮市の釜川緑道公園だ。釜川は一級河川であり、西川は用水という違いはあるが、石の置き方や時計台なども非常によく似ているという。

そのような話をしていると、会場から驚くべき話が上がった。西川緑道公園の影響は、海外にも及んでいるというのだ。岡山市の姉妹都市である韓国富川（プチョン）市使節団は、西川緑道公園の水と緑の姿に魅了され、その要素を持ち帰り、公園設計に活用しているという。公園が似ているというのは、兄弟といえばよいのか、姉妹といえばよいのかよく分からないが、いずれにしても、伊藤氏の造園哲学は筆者の公園に対する見方や考え方を一変させた。そして、西川緑道公園が岡山市の財産であることを再認識させてくれたのだ。

（2017／3／24）

郵便中興の恩人・坂野鉄次郎

岡山の記念館を訪ねて

日本の年賀状システムを整備した人物が岡山出身であると知り、訪れたのが坂野記念館だ。岡山市北区栢谷にある坂野記念館は現在、公益財団法人通信文化協会によって運営されている。ここでは、郵政事業の歩みのほか、「郵便中興の恩人」と呼ばれる坂野鉄次郎の功績を学ぶことができる。坂野の名前も、その業績も知らずに訪れたが、岡山県に日本郵政事業の発展、つまり、通信・ネットワークの基盤づくりに貢献した人物がいたことに、まず驚いた。

記念館は昔の切手、郵便局員の制服、郵便ポストや郵便列車の模型などが展示され、童心に返った気持ちで楽しめる。正直に言うと、岡山市内に郵政事業に関する記念館があることを知らずにいたため、予想外の発見が多かった。それでは、坂野鉄次郎はどういった人物なのだろうか。

坂野は1873年、岡山県津高郡野谷村（現在の岡山市北区栢谷）に生まれ、20代は東京帝国大学で法学を学び、30代は逓信省官僚、40代と50代は、中国地方の電気事業や鉄道事業を支援する実業家となり、60代は貴族議員として日本と岡山の発展に関わった。そして、1952年に亡くなるまで、明治から昭和にかけての政策やまちづくりなど、あらゆる面から近代化に尽力した。

館長からは、坂野に関する様々なことを教えてもらえた。1904年、当時の満州軍総司令官であった大山巌の出征赴任記念写真には、伊藤博文、山縣有朋、桂太郎、小村寿太郎、寺内正毅といった錚々たるメンバーと並んで、31歳の若い坂野がいた。彼は日本の将来を託されたエリート官僚であり、30歳で通信局内信課長、31歳で野戦高等郵便局長、42歳で大正天皇の即位大礼において大礼使事務官を務めている。なぜ彼がこのようなキャリアを積んだのか。その理由のひとつには、坂野が科学調査をもとにした新しい郵政システムを確立したことがあるようだ。

郵便制度が始まった1871年には57万通だった郵便利用が、坂野が逓信省に入省した明治30年代（1900年代）には5億5000万通へと急激に増加した。坂野は、効率的な郵政事業を実現するために、人口や地形に応じた職員の人数配置や輸送手段の基となる「通信地図」を作成したのだ。

さらに、元旦に年賀状が届く制度も坂野が整備した。館長によれば、年賀状を送る習慣は昔からあったそうだが、普通郵便だとそれがいつ届くかは分からない。そこで坂野は、１９００年に年賀状を特別扱いとし、１９０６年には取扱規則を定めた。年賀状を心待ちにする私たちにとっては、安全かつ正確に配達されることが何よりありがたいのだ。

坂野が官僚であった20世紀初頭は、日本が欧米列強に肩を並べるため多大な努力を払い、社会が著しく変化した時代だ。坂野が尽力した郵政の情報力は、まさしく国家の基盤といえる。先人の経験から学ぶものは多い。

館長から、坂野が雷を大の苦手としたというエピソードをうかがい、人間らしい彼の一面に思

坂野鉄次郎の写真

記念館では、郵政事業の歴史を学べる

配達の効率性を高めた通信地図

いを馳せた。一方で、彼の名が地元岡山でもほとんど知られていないのは少し残念に思った。そして、今年こそ余裕を持って年賀状を準備しようと気持ちを新たにした。

（２０１８／３／５）

奉還町商店街とファジアーノ　タペストリーがつなぐまちづくりの輪

奉還町商店街の日曜日夜9時半。岡山大学サークル・岡山プロスポーツ文化まちづくりサークルＳＣｏＰのメンバーが、岡山をホームタウンとするサッカーチーム、ファジアーノ岡山の順位と試合結果のタペストリーを更新している。２０１３年2月から合計２０８回も続けているそうで（２０１８年4月19日現在）、ファジアーノファンの中には奉還町のタペストリーをご存じの方も多いのではないだろうか。ひっそりとした夜の商店街で作業を続ける長宗武司君（ＳＣｏＰ前代表）は、スポーツとまちづくりについて話してくれた。

「奉還町は岡山駅とスタジアム（現・シティライトスタジアム）の間にある『キジの商店街』なんです。うらじゃが始まる前の桃太郎まつりにおいて、三つの商店街が、イヌ、サル、キジでクイズラリーを行って、奉還町店街はキジの役割をしました。その縁を感じて、ファジアーノのサポーターが試合の横断幕を奉還町リブラ（商店街内の文化交流施設）で作ったのが始まりです。（「ファジアーノ」はイタリア語で「キジ」を意味する）」

２０１２年、長宗君はプロスポーツと商店街について全国調査を行う中で、尼崎の商店街が阪神タイガースを応援する姿に感銘を受けたそうだ。尼崎では、スポーツが地域の文化に浸透していた。長宗君は、サッカーをほとんど知らない学生も巻き込んでサークルを立ち上げ、スポーツと市民の接点をつくるには、試合結果を伝えるのが一番分かりやすいとタペストリーを企画した。タペストリーは、企業から協賛金を集め、まさしくゼロからの出発であった。

商店街を歩いていると、タペストリーが目にとまる

「奉還町での取り組みは、大学内よりもメディアや経済界で認知度が高いのが正直なところです。ファジアーノだけではなく、シーガルズ（岡山の女子バレーチーム）に応援絵馬を送ったりもしています。岡山のスポーツクラブの魅力は、全部市民クラブというところです。これは全国的にも珍しいです。だいたい企業チームが多い中、地域密着型

でやっているまちは他にないと。だからやる価値がある。市民チームだからみんなで応援していかないといけない。だからこそ、のびしろもあるんです」

スポーツのまちづくりは、企業団体のイニシアチブも大切だが、タペストリーを更新するように、だれもが楽しく参加できる雰囲気も大切なのだ。しかし、熱い思いの一方で、部員全員が卒業を控えた最終学年という団体存続の危機にも面している。

「スポーツを通じたまちづくりというコンセプトが、なかなか新入生に伝わらないんです。話せば分かるんですが、その努力をちょっと怠けていたのかもしれませんね」

メンバー一同が苦笑いするなかで、新入生の加入に希望も見えてきたそうだ。もちろん、高校生や他大学からの加入も熱烈歓迎である。長宗君は、タペストリー活動に共感した方々とは、年に一度で良いので一緒に活動したいとメッセージをくれた。

今年のファジアーノは上位に組み込む健闘を見せている。ファジアーノのJ1昇格、団体の存続、そして、彼らが無事に卒業できることを心から祈りたい。

（2018／4／23）

（注）長宗君は2021年4月から新見公立大学の教員となり、まちづくりの実践を学生に指導している。

駅前と中心街の競争と連携

三都市シンポジウムに参加して

「JR熊本駅のくまモン前に集合です」と案内を受けたが、駅はくまモンであふれていた。

２０１８年11月10日、金沢市、熊本市、岡山市からなる三都市シンポジウムに参加した。このシンポジウムは、庭園、城下町、旧制高等学校、新幹線など共通点の多い三都市が、まちづくりに関する意見交換を行うもので、２００５年から10回目の開催となった。２０１５年は水辺のまちづくり（熊本）、２０１６年は大学と都市のまちづくり（岡山）、２０１７年は若者のまちづくり（金沢）をテーマにし、各都市は商店街、行政、大学でチームを編成し、夜の会も含めて本音で語り合う。

熊本では２０１６年の大地震以来、熊本城の再建に加え、熊本駅と桜町地区（交通センター）の二つの地区で大型再開発が始まった。岡山市に置き換えると、大型ショッピングモールが隣接する岡山駅と表町・天満屋周辺をイメージしてもらいたい。熊本市は、熊本城、上通や下通といった商店街、ビジネス街を一帯にコンパクトなまちづくりをしている。二つの大型開発は、中心市街地を大きく変えるだろう。今回のシンポジウムではこれを踏まえて、「駅前と中心街」の「競争と連携」をテーマにした。最初に、岡山表町商店街の発表だ。

「みなさん、商店街がなくなっても構わないと思う人は手を挙げてください（誰も手を挙げない）。表町商店街は、４００年以上続いており、２８０店舗もあります。昔は、４００店舗ありましたが、空き店舗も増えてきています。必要とされるまちを作っていかないといけません。まちゼミを行い、新規顧客を増やしていかないといけませんし、『備前岡山ええじゃないか大誓文払い』も行っています。やりかたによっては、人も埋まるのですが、最近上がってきたものは、時給なんです。大型店舗も出店していますが、岡山そのものが、儲からないまちになってしまってはいけないんです」

続いて、すきたい熊本協議会（商店街、地元企業、熊本大学まちなか工房、行政機関による中心市街地活性化団体）は、商店街と経済界が先導している取り組みを紹介した。

「２０１６年4月の地震で、まちなかの通行量は少し減りましたが、郊外店のお店も被害に遭いまして、工事の関係者から少しずつ人が増えてきました。飲み歩きのはしご酒や九州がっ祭などのイベントを増やしていったことで、人は戻ってきています。今年、経済界で『熊本市中心市街地グランドデザイン２０５０』を作成して、30年先のコンパクトなまちづくりを目指しています」

最後に金沢市片町商店街は、地元を大切にする商店街を目指すと説明した。

「時代の変化は仕方がないのですが、商店街は、地元の人が来て、にぎわいがあって、誇りを感じてもらえるものであってほしい。商品だけでなく体験を提供していける場所になることが大切です。旅行客が訪れる駅への人の流れを食い止めるのは難しいぞと、腹をくくって頑張っています」

駅前開発は、商店街にとっては期待と危機感が交差するものだ。会場からは本音が飛び出した。「駅前が発展していくと、若者は商店街から逃げていくし、来なくなる」「商店街の努力は必要だが、大型店舗で無料駐車場を提供されてしまうと、サービスの面で立ちゆかない」「インターネットでの買い物が増え、疲れきるくらいのイベントをしても翌日は閑散としている」。これらの意見から、「競争と連携」は容易でないことが分かる。三都市に共通する課題は、駅前と商店街の個性を引き出しながらバランスを取っていく難しさ

復興の進む熊本城

くまモン前に集合

だ。最後に、両角光男先生（熊本大学前理事・副学長）は次のようにまとめてくれた。

「駅前と中心街の競争と共栄という点については、コバンザメのように、頑張るやつにしっかりくっついていくのもいい。頑張るところとうまく連携するところが大切なのではないか。地元が必要とし、無くなったら寂しいという商店街がベースだが、近隣だけではなく、郊外からのアクセスを考えないといけない。議論は尽きないところだが、続きは懇親会で」

来年度は、岡山が三都市シンポジウムの主催になるそうだ。熊本チームの議論の深さとおもてなしの温かさに触れ、早めに準備をしなければ間に合いそうもないと思った。

（2018／11／13）

地域の人たちをつなげた水害

岡山・瀬戸町「助け合うお母さんの会」

岡山市「おかやま協働のまちづくり賞」の大賞に、西日本豪雨支援災害支援ボランティア「自由あそびの広場」が選ばれた。この賞は、岡山市が制定した「協働のまちづくり条例」にもとづき、地域の社会課題解決に取り組む団体を表彰する制度だ。市からは「自然災害という緊急事態に素早く地域の力を結集し、支援の手を差し伸べた素晴らしい取り組み」と評価された。「自由あそびの広場」は、約60人からなる「助け合うお母さんの会」が中心となって結成されたもので、岡山市東区瀬戸町のスポーツ施設・江尻レストパークで、西日本豪雨で被害を受けた子育て世代の方々を対象に子どもたちの預かりや居場所の提供を行った。水害の後、様々な助け合いが生まれた。車が水没して交通手段がない方々には地元の皿井タクシーが無料送迎バスを出し、ベネッセコーポレーションは学習支援のしまじろうコンサートを開催し、玉野市のおもちゃ王国からはおもちゃが寄付された。さらに町内会は野菜を提供し、愛育委員会、民生委員、公民館もそれぞれの立場から支援を行った。今回、岡山市瀬戸公民館で、会の代表である枝廣真祐子さんからお話をうかがった。

「一番よかったのは、ママ同士、子ども同士がつながったこと。地域

助け合うお母さんの会のみなさん

子どもたちもお母さんも笑顔でいっぱいだ

の人も企業もいろんな人がつながって気軽に集まれる場を持てたことがよかったと思います。学区ごとの集まりだけではなく、広い範囲でつながって、助けあって、ちょっとしたときに甘えることができます。豪雨以降は、ほとんど会ったことがなかった上の世代にも会いました。白菜を持ってきてくれたり、エプロンを貸してくれたり、小さいことでも頼み合えるんです」

協働や共助の必要性を改めて感じるとともに、枝廣さんの強い思いに胸をうたれた。

「きっかけは、ある家が孤立してしまって、水害の翌日に食べ物や乾電池を買っても、2階にいるお母さんたちに届けることができなかったことです。夫が単身赴任で、一人で子どもを抱えたお母さんの家庭もいらっしゃって。なんとか助けたい。絶対何とかしたいと思いました」

西日本豪雨は地域の生活を一変させた。ある母親は、水害当時のことについて語ってくれた。

「平島地区が孤立してしまったんです。外に出た時には湖になっていました。砂ぼこり、オイルのにおい。被災地独特のにおいがひどかったです。そこで、片付け道具を探しにスーパーに行くと自分たちだけ泥だらけで、みんな他人事のように感じられました。しかし、江尻レストパークでは子どもがブロックで遊んだり、外のプールで泳いだりしていて、だれかに会える安心感はとてもうれしかったです」

「大雨の日、LINEで逃げて、逃げてという。でも、災害の時、真っ暗でさっぱり何が起きているのかが分からない。避難所が避難できる場所なのかも分からないのに、子どもをおんぶして水の中を歩いたんです。暗い中でどこに行けばいいのかまだ分からないのに。被災した後は、家の片付けに追われて、でも仕事も休むこともできません。みんなストレスを抱えているときに、子どもたちの夏休みが始まります。夏祭りも中止になる中で、子どもたちを受け入れてもらってどれだけ助かったか」

助け合うお母さんの会は、大変な時期を過ごした仲間同士だ。大変な時に手を挙げてくれる人がいて、みんなも手を取り合った。身近な人とつながれるコミュニティが一番大切なのだ。そして、楽しいからまた集まりたくもなる。笑顔で対応していただいたが、色々な苦労も教えてもらった。お母さんの会は誰かを応援することに一生懸命だ。

活動の見学と言いながら、子どもたちと一緒にカレーライスをいただいた。「家のカレーとはまた違いますね」と岡山市職員と談笑していると、子どもたちから「今日はカメラマンがいる！」と笑われた。温かい雰囲気の中で、子どもたちを支える仕組みが「自由遊びの広場」なのだ。

（2019／1／12）

6月29日は岡山大空襲の日

平和を思い起こして

1945年6月29日は何の日かと問われて、岡山大空襲の日と答えられる人は年々少なくなっている。

岡山市街地が一晩にして焦土と化した日。138機のB-29が約9万5000発の焼夷弾を落とし、少なくとも1737名の方が亡くなった。午前2時43分に第一撃が加えられ、午前4時7分まで空襲が続けられた。敵機が去った後も岡山のまちは燃え続けた。業火を避け、西川に飛び込んだ人々が重なるように亡くなっていった。空襲警報が発せられず、人々は逃げまどった。絨毯爆撃は、火の囲いに人を留まらせ、混乱の中で地獄絵図を生み出した。岡山大空襲は軍の施設ではなく、一般市民を襲った。東京、大阪、名古屋、神戸、川崎、横浜の大都市を焼き尽くしたのち、6月中旬から岡山を含め中小都市が空襲の対象になった。米軍爆撃計画によれば、岡山が攻撃対象になったのは、三菱重工業水島航空機製作所の部品を生産する小規模工場が多くあり、また、交通要所でもあるからだという（『岡山市百年史』上巻を参照）。米軍が、人口規模から空襲の順番を決めていたことに、恐ろしさを感じた。焼夷弾も、木造建築が多い日本の特徴を見極め、まちを焼き尽くすために開発された。

戦争は、最小限の力でより多くの人命を奪おうとする。一人ひとりが積み重ねてきた人生を無視して殺戮（さつりく）する。そのような状況に追い込むには、感情を消すか、人間をモノ（対象）として位置づけるか、強い恨みを持つかであり、戦争はあらゆる人々の心身を極限まで追い込む。一方で、戦争を冷徹に遂行する人もいる。戦争が人命よりも組織や体制を優先すると、国が崩壊するまで

西川緑道公園の平和像（昭和29年6月29日建立）

岡山シティミュージアムをぜひ訪れてほしい。『岡山空襲の記憶』では、米軍資料や当時の生活が紹介されている

戦争が終わらない。苦々しいが、それが日本の経験だ。

筆者は、太平洋戦争のことを祖父母から間接的に聞いてきた。子どもの頃を思い出せば、80年代の新聞には夏になると戦争と平和に関する記事が並んでいた。今では考えられないが、8月15日には、テレビも新聞も終戦特集が一面を占めていたのである。我が国においては戦争の記憶が薄れつつあるが、世界に目を向ければ、局地的な衝突がなくならないのが実情だ。国際的な状況によっては、日本が衝突や戦争に巻き込まれる可能性もゼロではない。しかし、日本が戦争という一線を越えないのは、太平洋戦争、原爆、そして、その後の復興の苦難を知る人々がいて、平和を訴えていることが基盤となっているからだ。

JR岡山駅西口（運動公園口）にある岡山シティミュージアムには岡山空襲展示室がある。6月30日までは「第42回岡山戦災の記録と写真展―復興期岡山の人々」が開催され、戦時中の暮らしや空襲の様子、復興計画などを知ることができる。当時の写真、衣服、証言から、私たちが生活し、歩いている場所で、戦争があったことが伝わってくる。6月29日に開催される岡山市戦没者追悼式では、新しい試みとして、学生が平和へのメッセージを述べる。その内容に耳を傾けたい。戦争はだれをも幸せにしない。平和を忘れたまちづくりも存在しない。

（2019／6／20）

西川クリーン探検DAY　川底から生き物も落とし物も

地球温暖化がグローバルな問題になる中で、ビルとアスファルトだけのまちは、太陽光で熱せられ、サウナのように蒸されていく。西川緑道公園には、水が流れ、木陰があり、風が通り抜ける。居心地の良い空間は、温度を下げ、環境にも良く、生物多様性にも貢献する。

毎年8月に入ると、西川清掃が行われる。清掃と聞くと、すこし面倒くさいという気がするが、西川清掃は、足首ぐらいまで水量が落ちた用水を歩き、子どもから大人までがゴミを拾い、自然観察を楽しむ日だ。今回のイベントは、地域住民や飲食店から構成される「西川エリアまち育て協議体」が企画した。題して、西川クリーン探検DAY。子どもたちに清掃と生き物観察会を一緒に体験させることで、水を通じた生命のつながりを意識してもらう日で、国連が唱えるSDGs（持続可能な開発目標）を西川から実践するのが目的だ。

まず、筆者の考える西川清掃の楽しみ方を挙げてみよう。その一、西川用水の石垣は江戸時代につくられた歴史建造物である。また、小さい橋を掲げた跡や沿道の家に用水を流した穴も見つけられる。その二、西川は生き物の宝庫である。石垣のおかげで、生物が隠れやすく、卵も産みやすい環境がある。旭川のほとんどの生き物がいるそうだ。その三、夏休みの宿題が完成する。子どもたちの努力によっては、先生も驚くほど高い水準の宿題を提出できる。少なくとも、清掃後のアイスは美味しい。その四、新しい友人ができ、達成感がある。清掃活動が地域の一体感を生み、西川への愛着も深くなる。その五、色々な面白いゴミが見つかる。自転車、携帯、財布などはよくあるものだが、その他にも毎年不思議なものが見つかる。たとえば、顔面の石像、掲示板、戦艦模型などである。また、鍵や指輪は意外に多く発見され、通行人の様々な人生が感じられる。

参加者72名を三つの班に分ける。用水の中では、子どもたちが探検隊のリーダーだ。また、子どもたちの方が大人よりもずっと魚とりが上手だ。橋の上の子どもから「魚があそこにいますよ！」と声がかかるが、用水の中にいると砂が舞って、全然分からない。一方、子どもたちの方が賢く、追い込み漁を始めていた。参加者一同、すべったり、転んだり、深いところで沈んだり、西川クリーン探検ＤＡＹは、笑い声が溢れていた。まちなかとは思えない不思議な空間だ。

下石井公園に戻り、集めたものを整理する。空き缶、電池、割れた茶碗、財布、スマホ、自転車、看板、傘、ポイントカードなど。一方、生き物は、ミドリガメ、タナゴ、ギギ、ニゴイ、ヨシノボリ、ムギツク、カネヒラ、スジエビ、シジミなどが見つかった。バケツに入ったミドリガメが水面から顔を出し、子どもたちをじっと見つめている。子どもたちの輪に入りたかったのかもしれない。

西川クリーン探検ＤＡＹは、西川エリアまち育て協議会、町内会、ライオンズクラブ、岡山市、学生、そして、多くのボランティアの協力を得て開催される。用水の清掃は、かつて岡山各地で川干（かわひ）という名で行われていた。その時も、ドジョウやウナギが取れ、露店が出るほどににぎわったそうだ。西川の清掃が地域に根付き、岡山が誇る活動になってほしいと思った。学生は振り返りの発表で、「川をきれいにすることは、海を豊かにすることで、地球にやさしいこと」であり、ＳＤＧｓの目標である「住み続けられるまちづくり」と「海の豊かさを守ろう」に共鳴すると述べていた。西川に触れると、日々気づかないこと、そして、大切なことを発見できるようだ。

（２０１９／８／19）

年に一度の貴重な日。まちなかで自然に触れる

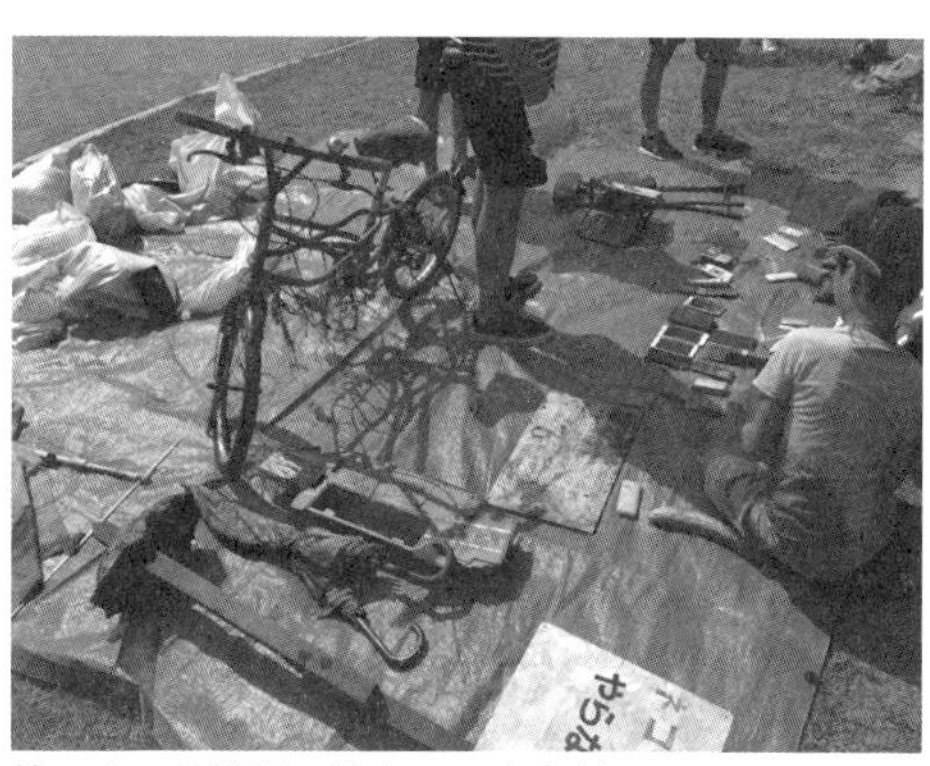
捨てるのは簡単。拾うのは大変だ

環境を軸に始まった地域との交流

SDGsが企業にもたらした変化

「弊社はゴミ回収業者でリサイクルもしていますが、ビオ・ガーデンやセラピー・ガーデンも造りました。緑をいっぱい増やしていますので、リサイクル工場まで一度いらしてください」

そのような誘いを岡山市南区に本社のある㈱コンケングループ（建物解体作業と産業廃棄物処理業）から受けた。どうしてリサイクル工場が公園づくりを始めたのか、まずそのことに関心があった。企業がSDGs（持続可能な開発目標）をもとにした環境活動に力を入れると、企業と地域の双方でどのような変化が起きるのだろうか。

トラックが南区藤田のリサイクルセンターを行き交う。ここでは、家やビルの解体で出たがれきを集め、重機が粉砕し、それらを廃材、汚泥、コンクリート、プラスチック、木くずへと分別している。そして、90％近くが、砕石、砂、土、燃料へと再利用される。畳やプラスチックなどが堆（うずたか）く積まれた姿には圧倒された。

生活すれば、ゴミが出る。しかし、それをあまり見たくはない。袋にまとめて、回収日に持っていけば、終わったことにしたい。ゴミ処理場やリサイクル場が必要なのは誰もが分かっているが、いわゆる「ＮＩＭＢＹ」な迷惑施設とも言われることもある。ＮＩＭＢＹとはNot In My Back Yardの略であり、「（大事な施設であるのは分かるけど）私の家の裏には来ないでほしい」という意味だ。しかし、ゴミへの関心がなくなると、大きな問題が起きてしまう。あるゴミは遠く、貧しい国に運ばれる。また、香川県豊島の不法投棄も遠い昔の話ではない。ゴミはどこかで生まれ、運ばれる。ゴミと向き合うことは、ライフスタイルを見つめ直すことなのだ。

コンケングループでは、子どもたちへの環境学習にも力を入れている。２０１８年6月には地域ＥＳＤ活動推進拠点に登録され、循環型ビオ・ガーデン（ビオトープを取り入れた庭）をオープンした。そして、今年の8月には、岡山市と防災協定を結んだ。リサイクルセンターは、地震、豪雨、河川氾濫などの災害時に、がれきの撤去や運搬を行い仮置き場としても利用できるそうだ。「当社は周りより2ｍほど高いところにあって、重機もありますし、１００人3日分の食糧とライフジャケットも備蓄しています。水も24時間使えるようにしていますので、いざという時は、地域の拠点になるんです。災害の時に『初めまして』では困りますので、地域のみなさんには日常的に寄ってもらえるように考えています」

次に工場内の公園を案内してもらった。土壌には、工場内でリサイクルされた廃材チップ、コンクリート、土などが使われているそうだ。池の中で泳ぐ魚は、どこからともなく生まれたものらしい。草むらにはトンボやバッタの姿もあり、自然の循環ケースとなっている。自然の空間が増えたことで、住民が工場を訪れる機会も少しずつ増えてきたそうだ。

多くの企業が地域への社会貢献（CSR）を進めている。工場見学では、従業員の方々から「こんにちは！」と声をかけてもらった。そのやりとりは心地の良いもので、環境に優しい姿勢は、働く人の意識にも影響を与えているように感じられた。会社の方はこのように教えてくれた。

「ゴミを分別するリサイクル工場ではありますが、環境学習で子どもの見学も増えてきました。子どもが通るときは、作業を止めて、あいさつをするのが習慣になってきました。子どもに見られる仕事ですし、環境に優しいことをしていると、プライドにもなるんでしょうね。ここ数年で従業員の顔色は変わりましたよ」

9月とは言え、炎天下だ。それに冬も過酷な仕事である。危険な作業もともなえば、ストレスがないはずもない。しかし、講師を招いてESD（持続可能な開発のための教育）やSDGsを会社で学ぶようにしてから、会社にも社員にも変化が生じた。会社としても利益優先より地域に寄り添う姿勢が強くなってきたそうだ。

「4年前から、第2土曜日に朝7時から9時まで地域の清掃活動をしています。会社としては、あいさつや整理整頓ができるようになれば、地域の信頼も得られるのではないかと思ったのです。そうすると、地域のみなさんにも、工場の前の草を刈っていただけるようになりました」

リサイクル工場には、小学校や台湾の大学も視察に訪れるようになった。そして何より一番の変化は、企業と地域の方とのコミュニケーションが始まったことだそうだ。会社主催の園芸教室は地域のみなさんに好評であり、逆に、地域からはグラウンドゴルフ大会への招待があったそうだ。工場の印象として働いている方の笑顔が素敵だったと述べると、面白い返事が戻ってきた。

「若い者は笑顔が柔らかいけど、ベテランはいつも厳しい顔ですよ。グラウンドゴルフでのベテランの様子が今から楽しみです。地域のみなさんに打ち方から教えてもらわないといけませんね」

企業と地域は、一緒にまちづくりができるのだ。

（２０１９／９／14）

環境に配慮し、ガーデンの造成には廃材を活用

建造物から大量のゴミが集まる

古畳を緑のマットに

四つ手網小屋で楽しい夜を

隠れた岡山市の観光資源

グオーンと音をたてて約5平方メートルの網が海から持ち上がると、小魚が網の中心に集まっている。ライトの灯に魚が寄ってきたのだ。この7秒ほどの時間が楽しくて仕方がない。何がかかっているのか興味津々で、何度もボタンを押してしまう。この時期に多くとれるものは旬のママカリやコノシロだ。一度引き上げると、10匹以上はかかっていた。そのほかに、ベイカ、ガラエビも集まっている。海にはいろんな生き物がいるものだと、子どものように喜んだ。今回は、岡山市東区の四つ手網を紹介したい。

四つ手網は、岡山市東区九蟠から升田にかけての児島湾沿岸で行われる伝統的漁法だ。春から秋がシーズンで、夏に最盛期を迎える。最初の出会いは、東区の海岸沿いを車で走って迷っていた時だ。トム・ソーヤが住んでいそうな小屋の連なりを不思議に眺め、それが漁師の方に限定して使われていると思い込んでいた。後日、岡山市観光コンベンション協会に聞いてみると、それは四つ手網と呼ばれるもので、岡山市の大切な観光資源だと教えてもらった。1万円ほどの使用料を払えば、夕方から朝方まで最大10名で誰でも使うことができる。簡易キッチン、テレビ、エアコン、バーベキューセットまでそろっており、タイミングがよければ、魚の入れ食い状態になるそうだ。家族や友人でバーベキューをする人もいれば、煮付けや天ぷらにして食べる人もいる。一昔前は、徹夜マージャンでにぎわったそうで、気軽に自然を体験できる場所として人気も出ているようだ。

四つ手網に行く当日、予約を取ってはいたが、実際どの小屋なのかよく分からず、ご主人と電話をしながら合流した。四つ手網のルールは至極簡単だ。一度ボタンを押したら、網が機械で上がりきるまでしっかり待つこと。宿泊施設ではないため布団はないが、部屋と備品はご自由にお使いくださいとのこと。一体何が釣れるのか。ヒラメなどもとれるのだろうか。漁師のご主人と話をした。

大きな網（写真右）は、シンプルな「上」「下」のボタンで操作する

「お客さんの言うヒラメがとれたら宝くじで一等賞を取るようなもんですよ。水が上がる夜9時ぐらいから魚も増えてくると思いますよ。灯に魚が寄ってくるけぇね」

9月から11月にかけては、気候も良く、過ごしやすい。友人も道に迷いながらたどり着いた。夜7時を越えたころ、小屋から歓声があがった。大きな魚が網にかかったのだ。確認したらスズキだと分かり、さばいて塩焼きにした。また、歓声があがる。活きの良いボラがかかった。こちらもおいしくいただいた。ママカリの塩焼きがしばらく続いていたので、予想外の釣果に大いに沸いた。夜も更けて、午後10時頃には友人たちが家路についたが、筆者はもう少し残ることにした。海に吹く風は心地よく、まだ、何か見つかるのではないかと思ったからだ。深夜の3時頃にエイがかかった。ひとりだったため寂しくも感じたが、ママカリやコノシロがバケツに何杯もとれたので大満足だ。

かつては50棟ほどあった四つ手網の小屋も２００４年の台風の影響で現在は20ほどに減り、そのうち営業しているのは10ほどのようだ。岡山市東区を描く大事な風景でもあり、使われることで四つ手網も維持できるため、多くの方に訪れてもらいたい。

（２０１９／10／18）

アメリカ人と一緒に岡山市長に聞いてみた

西川緑道公園の線から面への展開

２０１９年12月2日、岡山大学地域総合研究センター客員研究員のサウミャ・キニ（Saumya Kini）さんとともに、岡山市役所を訪れた。サウミャさんは、アメリカ・ポートランド市の出身であり、水辺空間を中心とした公共空間の活用について研究している。

西川緑道公園は、西川パフォーマー事業による歩行者天国、満月BAR、ハーモニーフェスタなどの市民活動でにぎわっている。西川緑道公園の活用方法を行政は政策的にどのように位置づけているのか。サウミャさんと市役所を訪れ、市長から直接うかがうことにした。岡山市出身の大森市長は、次のように語ってくれた。

「50年前、毎日高校の通学で西川を通っていました。用水路や樹木はありましたが、人が楽しむような場所ではなかったんです。ご存じのように、水路を埋め立てて車線を増やそうという話もありましたが、公園になりました。そして、樹木も増え、楽しいイベントも増えてきました。２

013年に市長になってからは歩行者天国も始まり、市民が楽しむ場になっています」

市長によれば、市街地では県庁通りの一車線化や路面電車の延伸など様々な動きがあるが、西川緑道公園は歩きたくなるまちの拠点として特に前進しているという。ただ、楽しむ要素が、中心市街地で1カ所しかないことは問題だ。

「市長になった頃、まちなかで楽しむという雰囲気があまりなかったので、雰囲気をつくるためには何ができるだろうかということで、歩行者天国を考えていました。歩行者天国を始めると、交通渋滞や駐車場の出入りが難しくなるのではないかと反対する人もいましたが、最終的には納得してくれました。イルミネーションのきれいな西川は、ちょっと歩こうかなと思えます。だけど、他のところを見てみると、楽しく歩いている感じになるまで努力が必要なことが分かります。これからはそれぞれの拠点や通りに限定するのではなく、まち全体を大きな面として捉えてみなければなりません。楽しむ要素を増やすことで歩きたくなるまちへと発展するのです」

市長は、車中心のまちづくりでは、子どもや高齢者の生活に負担がかかるため、歩行者のためのまちに楽しむ要素を加えていこうとしている。その中で重要となるのは、まちづくりを引っ張る市民の活動だ。

「市民や市民団体の力は大きくなっています。様々な意見がありますが、市民が動いていればこそ、市長の大きな意思表示が必要になると思います。歩きたくなるまちが良いという市民の声が小さければ、市長もやりにくくなる。だから、岡山のまちで生まれて育っていくんだ、他のまちからやってきても今後の人生のステージを岡山で過ごすんだという時に、みんなでこういうまちであったらいいねというビジョンを市長として体現していきたいのです」

一人一人の声は届きにくいが、人が集まり、団体として活動していくと、まちづくりは運動へと発展する。そうすれば、市民の意見も明確になっていく。西川緑道公園は、水と緑によるサス

大森市長（右手前）に質問をするサウミャさん（左）

イルミネーション用のライトが付けられた西川

テナビリティのシンボルとして評価され、また、歩きやすいまちの起点として発展していく大きな道筋となることが期待される。

以前、大森市長とともにサウミャさんの故郷・ポートランドを歩いたことがある。ポートランドはアメリカ一住みやすいまちとして知られている。1960年代後半から1970年代前半にかけて、市民団体がハイウェイ構想（高速道路）に反対し、その代わりに公園やLRT（次世代型路面電車）の建設が進められた。ついにはその運動が、まちなかの駐車場を市民の広場に変えてしまったのだ。市長はポートランドのまちづくりに感銘を受けていた。

「ポートランドの人は自分たちでまちを変えたんだということに誇りを持っている。これはまちづくりにとって大きいね」

そのポートランド訪問中に出会ったのがサウミャさんだ。彼女は「ポートランド・ウェイ(Portland Way)」という言葉を教えてくれた。「ポートランドでは市民を置いてきぼりにして、しっかり話し合わなかったら、まちづくりは進まないよ」という意味らしい。たとえば、「行政は、ポートランド・ウェイをしなかったから計画が失敗した」という使い方になるそうだ。もし、オカヤマ・ウェイがあるとすれば、どうだろうか。もっと素敵なまちをつくるにはどうすればよいのか。岡山市でも市民活動が根付き始めており、市民団体が中心市街地の大きなデザイン設計に積極的に関わることが期待されている。対立ではなく、楽しみながら対話を重ねることができれば、岡山は、世界から注目されるようになるだろう。

サウミャさんが大森市長にインタビューをする姿を見て、岡山のまちづくりがグローバルに注目される時代をうれしく思った。また、彼女の抜群の日本語力にも聞きほれてしまった。まちの楽しみが増えていけば、歩きたくなる。良いアイデアは世界から大募集だ。

（2019／12／7）

てんやわんやの初遠隔授業

学生たちの元気な声が頼り

コロナ禍で緊急事態宣言が出される前、「先生は在宅勤務ができますか」と職員の方から質問された。「家では遊んでしまうので、昔から学校に来ています。在宅では勤務になっていないかもしれませんけど、大丈夫ですかね」と答えると、「いやぁ、先生はまじめですね」と笑われた。

岡山大学は、新型コロナウイルスの感染拡大防止のため、インターネットを通じた遠隔授業を導入することになった。ニュースでは、遠隔授業の導入事例や成功事例が紹介されていて、ますますプレッシャーがかかる。ウェブ会議を紹介するサイトを見てみると、みんなが手を振って楽

岡山大学旧事務局棟。地域総合研究センターは二階にある

しそうだ。よほど充実した会議ができているのだろう。しかし、不安は拭えない。対面の授業では、学生の反応を肌で感じることができるが、インターネットでは教員の一人芝居になってしまわないか心配で、とにもかくにも入念な準備をすることにした。

1回目の講義。学生たちによる大学サーバーへのアクセスが殺到し、朝からインターネット接続が困難になった。筆者は夕方からの授業に備え、パソコンを2台置いてリハーサルをした。自己紹介、研究の背景、そして相互のディスカッション。加えて論文等の資料をインターネット上で指示する。思いつく限りの対策を練る。さあ、授業の開始だ。

遠隔授業を始めると、早速トラブルが起こった。履修登録ができていない学生からのアクセスが起こってしまった。また、ニックネーム、○○の携帯、学生番号で名前登録をしている学生も登場し、だれがだれなのか分からず、てんやわんやになった。汗が噴き出し、想定外の状況に対応するため、色々なボタンをクリックしてみる。気を取り直して、授業スタートだ。

「みなさん、こんにちは。ＳＤＧｓとまちづくりの授業です。岩淵です。よろしくお願いします」。手を振っても、返事が来ない。それもそのはず、新1年生も同じく初めての遠隔授業なのだ。

予定とは異なったスタートになった。少し落ち着いてから、学生たちに将来の夢を聞いてみると、留学、ボランティアへの参加、英語力の向上、就職前に生活力を身に付けたいなどの意見があった。また、家では、お菓子を作ったり、編み物をしたり、筋トレをしたり、ユーチューブを見たりと、思い思いに過ごしているようだ。しかし、大阪在住の学生は移動ができず、岡山にも入れないそうだ。新型コロナウイルスの影響はやはり大きい。

1週間後、2回目の講義では、水と暮らしをテーマにした西川緑道公園のまちづくりについて説明をした。西川緑道公園の魅力は、年間50近いイベントである。遠隔授業では、活動の紹介はできるのだが、在学期間中にやはり目で見て、触れて、話をして、岡山でしかできない体験も積んでもらいたい。2回目の授業は、写真を中心に紹介したので、先生も学生も楽にコミュニケーションが取れたような気がした。「今日は、写真が中心だったので、僕の顔はあまり見ることができませんでしたよね」と言うと、「写真も先生の顔も両方映っているんですよ」と笑い声が聞こえた。そうとは知らず、授業中、横を向いて話していたかもしれない。だれか使い方を教えてほしい。

学生たちの元気な声が聞こえると、次の授業準備も頑張ろうと思う。そして、教育機関は今の学生たちにもう一歩、二歩、応援できることがないだろうかと自問した。まったく新しいスタイルの教育が始まったのだ。

(2020/4/28)

県庁通りを人優先のまちの先駆けに　市民のアクティビティを増やす

岡山市中心市街地には、イオンモールから表町に抜ける県庁通りがある。この県庁通りでは、車幅を狭めて、歩行空間を広げる工事が進められている。工事は、2020年度に市役所筋から西川筋、2021年度に西川筋から柳川筋で行われる。岡山市庭園都市推進課が進める「県庁通り歩いて楽しい道路空間創出事業」は、岡山駅周辺エリアと旧城下町エリアを結ぶもので、その狙いは、中心市街地のにぎわいと回遊性の向上だ。岡山の生活は車がとても便利であり、わざわざ歩道を広げなくてもよいのではないかという意見もある。しかし、道路空間が人が使いやすい空間に変わることで、まちの魅力が高まることが期待される。工事などハードの整備だけではなく、歩行空間でどんなことができるのかを考えなければならない。庭園都市推進課の職員はこう教えてくれた。

「歩道が広がれば、にぎわいにつながる点が強調されていますが、岡山市が車から人優先のまちづくりへ変化していることも、もっと伝えていかなければなりません。歩きやすいまちを作るには、中心市街地を占めている車道を含めて空間を大切にすることです。まずは『歩道を活用する』ことから始め、県庁通りにオープンカフェが作られるなど、人優先で楽しい通りの先駆けになってもらいたいです」

歩道の拡張工事が進む県庁通り

岡山市の挑戦は最近始まったことではなく、古くは、1998年のトランジットモール社会実験までさかのぼる。今回の計画が具体化したのは、イオンモール岡山が出店した2014年ごろだ。2015年に歩道や自転車道を整備した社会交通実験を3回行い、2016年度は、1週間連続した社会交通実験を行った。県庁通りのプロジェクトは、かれこれ20年かけてゆっくり前進してきたのだ。一方で、県庁通りに市民の関心が薄いのは気がかりだ。市の職員は言う。

「暮らしに車が便利であるのは言うまでもありません。『車を減らして歩きましょう』と言っても、すぐに浸透するものでもありません。しかし、岡山市中心市街地が持続的に発展するには、市民のアクティビティが増えた方が良いと思います。たとえば、緑や木陰で休みながらオープンカフェでくつろげるような仕組みを作りたいです。社会交通実験のデザイン・ミーティングで住民のみなさんから意見をうかがいました。県庁通りは最先端のバーやファッションのお店が多いそうですので、これからも、岡山の情報発信やチャレンジが生まれる場所になってもらいたいですね」

人口減少が進んでも、サービスの充実する都心部への人口は増えていく。岡山市中心市街地には2025年までに1000戸以上のマンションができる計画があるそうだ。この数字を受け入れられるキャパシティを中心市街地は持っているのだろうか。そして、家と職場だけを往復する市民が増えるだけなのだろうか。中心市街地は、水と緑を活かすことで居心地の良い場所となり、交流の拠点になるべきだ。そのような中で、県庁通りの取り組みは、大切な意味を持つ。それは、中心市街地の発展をマーケットの動向に任せてしまうのではなく、岡山市民が考えて、参画していく、「住んで楽しいまちづくり」へと誘導していくことだ。
30年先を予測するのは難しい。しかし、県庁通りをきっかけにして、行政からではなく、市民から歩きやすいまちづくりへの気運を高めてほしい。そして、変化する前の県庁通りを確かめてもらいたい。そうすれば、まちの成長を応援することになり、まちへの愛着も高まるからだ。

（2020／8／6）

西川アゴラの閉所に思う　みなさまへ感謝の気持ちを込めて

2021年2月11日、岡山大学と岡山市のまちづくり拠点・西川アゴラ（同市北区田町）の閉所シンポジウムを行った。はじめに2015年10月の開所以来の活動を振り返った。西川アゴラは、バプテスト教会そばの伊達ビル2階にある。まずは、西川アゴラがどんな場所からスタートしたかを振り返った。開所当時、西川緑道公園では、「満月ＢＡＲ」などの市民のイベントが定着してきた時期であった。岡山大学は2012年から岡山市と調査を続けており、その中で、岡山市役所ＯＢの石田尚昭さんと、公園のイベント以外にも、若者が日常的に集える場所が作れないかを考えていた。

西川で生活している方への聞き取り調査と並行して、物件探しも行った。その頃、熊本から岡山大学地域総合研究センターへ前田芳男教授もやってきた。前田先生は、熊本大学まちなか工房(都市計画を専門とする教員が中心市街地の分析、活性化策を提案するサテライト・オフィス)の運営にも携わっていた。西川でまちづくりの気運が高まる中で、建築を専門とする石田さん、都市計画の前田先生、市民参画の岩淵の3名が集まり、「まちづくりを自由に語る空間」として西川アゴラのコンセプトを作ったのが始まりだ。

西川アゴラの自慢は、日本全国、世界各地から多くのお客さんが集まったことだ。まちづくり勉強会、ミーティング、視察の受け入れ、大学の授業、イベントの準備など、1年を通じて利用が多く、年間約2000人が集まった。大学施設の稼働率としては、驚くべき数字だ。このように多くの人が集まったのは、岡山駅から近く、使いやすい場所にあったことも大きい。また大学は、岡山市が抱えるまちづくりの重要課題に飛び込んだ。大学の調査は、西川緑道公園の活性化や県庁通りの1車線化の基礎資料となり、ワークショップも何度も行われた。一番注目を集めたのは、「ポートランドまちづくりウィーク」という連続講義だ。アメリカ・ポートランド州立大学からスティーブ・ジョンソン教授、イーサン・セルツァー教授、そして、サウミャ・キニさんを招き、「アメリカで一番住みやすいまち」の秘密を探ろうとした。ポートランドの友人たちは、「住みやすいまちをどのようにつくっていくのか」という問いに対する大切なヒントを岡山市民に与えてくれた。彼らは、水と緑にあふれ、身の丈に合わせた交流ができるまちだと、岡山の魅力を再確認させてくれた。そして、西川アゴラを訪れた者同士が友人関係を築いていった。大学施設を通じて楽しいネットワークができたことが何より嬉しい。

しかし、開所から5年が過ぎ、西川アゴラは閉鎖されることになった。昨年から新型コロナウ

西川アゴラから臨む西川緑道公園

テーブルには訪問者のサインがびっしり。思い出がいっぱいだ

イルス感染拡大が続き、会議やイベントを自粛せざるを得なかったことが大きな理由だ。来年度の見通しがたたない状況で、継続が難しいと判断した。もうひとつの理由としては、筆者の仕事が忙しくなるにつれ西川に通う回数も減ってしまい、鍵の開け閉めがままならなくなってきたことだ。実は、イベントのたびに、石田さん、前田教授、岩淵が、鍵の開け閉めを行っていた。筆者が開けることを忘れて、迷惑をかけることもあった。ボランティアを中心とした運営に体力が続かなくなってきたのだ。会場のみなさんと反省点も出し合った。地域総合研究センターが西川の活動をもっとPRし、研究仲間や学生を増やすべきだったのではないかという鋭い指摘もあった。同センターは小さな組織であり、学部のような研究室やゼミ生を抱えていない。そのため、小回りも利く分、大がかりなこともできなかった。なんとか、『西川アーカイブス』(吉備人出版)というまちづくりの歴史書までは発刊できたが、西川界隈には、まだまだ研究や教育の余地は残されている。

しかし、西川アゴラの誕生で良かった点は、西川緑道公園を設計した伊藤邦衛さんにインタビューができ、今後の研究に大いに役立つ資料を集められたことだ。そして、筆者の研究を引き継いでくれるサウミャさんにも出会うことができた。筆者は、2011年11月に岡山大学に赴任したてのとき、学生から「岡山市のまちづくりの特色は何ですか?」と聞かれて、答えることができなかった苦い経験を持っていた。そのため、学生たちから次に同じ質問を受けたら、しっかり答えられるようになりたいと、西川の調査に長年励んできた。そのような中で、サウミャさんは、居心地の良い空間づくりという視点から西川の応援団に加わってくれた。大学人として、研究の後継者がいることは、大変ほまれである。また、岡山市民として、時にはお酒を介して、多くの友人を作ることができた。

会場からは、「西川アゴラはまちづくり関係者の結節点として大きな役割を果たしてきたが、地域のみなさんがまちづくりに関わるようになり、西川アゴラを通さなくてもネットワークが形成されてきた」という興味深い意見も出てきた。筆者も同感であり、西川アゴラがなくなっても、大学と地域はゆっくり連携を深めていくだろう。シンポジウムの終わりに、石田さんから「西川まちづくりの歴史を次世代に伝える役割を担ってほしい」と激励を受けた。それを聞いて、もう一度、西川アゴラの精神を作り直したいと感じた。「アゴラ」とは、古代ギリシャのデモクラシーの空間を意味する。多くの市民が自由に語り合う場所だ。これから、西川界隈でコーヒーを飲みながら学生たちと話す機会を作っていきたいと思う。また、読者の方で西川界隈について語りたい方はぜひ筆者に連絡をしてほしい。新しいアゴラの準備を始めよう。

皆様へ。西川アゴラは、多くの方に愛された場所でした。机には、多くの来所者の名前があるように、思い出深い場所です。西川アゴラに関わってくださった皆様に感謝の意を申し上げます。

岡山大学、岡山市、市民のまちづくりは、次のステップに向けて歩み始めます。これからも岡山市中心市街地のまちづくりにご支援いただきますよう、よろしくお願いいたします。

（2021／2／15）

倉敷市のまちづくり

次世代に美観地区の資産継承を

倉敷町家トラストの中村さんに聞く

倉敷を訪れると、ふと会って話をしたくなるのは、NPO法人「倉敷町家トラスト」代表理事の中村泰典さんだ。中村さんに会うと、環境、グローバル経済、景観保全、町屋の活用など様々な話題で意見交換をする。初めて会った時、「美観地区だけではなく、倉敷には広いエリアで古い建物がたくさんある」「毎日飲んでいる水が高梁川から来ているならば、その川を大切にすべきだ」「倉敷の夜に明かりを灯すことで生活を見つめる」と語ってくれた。まちづくりの先輩であり、友人としてもいろいろなことを教えてくれる。中村さんは倉敷美観地区で生まれ育ち、2006年に倉敷町家トラストを設立した。そして、美観地区内で放置されていた空き家に目を付け、企業から出資を募り、町家暮らしを体験できる宿泊施設として再生させた。その後も、空き家の所有者と借りたい人を仲介するなど、数多くの町家再生に携わっている。美観地区のまちづくりを語るには欠かせない人物だ。

JR倉敷駅から徒歩十数分の美観地区には年間300万人という観光客が訪れている。大原美術館をはじめ、おしゃれな雑貨店や工房、飲食店、趣のある町並みなど、文化と伝統が息づいており、訪れるたびに新たな発見のあるまちだ。２０１７年９月下旬、美観地区で予定しているまち歩きの企画を中村さんに相談した。「おー、久しぶり」と再会を喜んだ後に、まちの課題をうかがった。中村さんは、大きな経済の流れの中で急激に変化している暮らしと成長のバランスは、景観に目を向けることで確かめられると言う。倉敷市は、２０１５年４月１日から倉敷川畔美観地区周辺眺望保全地区を指定し、美観地区の概ね１キロの眺望範囲で、高い建物やデザインを規制している。中村さんらの活動は、都市の発展を止めるのが目的ではなく、次世代にまちづくりの資産をできるだけ残すためだという。

倉敷町家トラストの事務局

「倉敷は、70年間街並み保存をコツコツやってきた。でも、ただ保存するのではなくて、私たちが意志を持って保存しようとしないと、大切なものは残っていかない。これからのテーマは、年月が経っていっても若い人々への選択肢を奪わないこと。だから選択肢を変えないまま、継承させたい。つまり、古い町並みを残し続けるのが良いことか、もしくは、新しい建物や店舗を受け入れて変化するのかを、今の世代だけで決めてしまわないようにしたい。今はまず、まちの生活を残していこう。変えるにしても、変えないにしても、市民全体で将来へのビジョンを作っていかないと、何も進まないのではないか。ここ10年間で、岡山県内外の企業によって市街地の開発が進み、経済的な圧力からまちは動いている。なりゆきに任せるとよくないから、生活の部分を残して、ローカルルールをしっかり作りたい」

成長と生活のバランスは、住民が意識してまちづくりに関わらなければ崩れてしまう。中村さんは、先輩から後輩に、年配者から若者に、世代間で経験や展望を共有することが不可欠だと考えている。そのためには、まちづくりの思想やビジョンを閉じたままにしていてはいけない。まちづくりのＤＮＡを若者に伝える努力がいるのだ。一方、若者は、中村さんの話を含めて倉敷の現状をどのように感じるのだろうか。それは、12月のシンポジウムで是非明らかにしたい。まち歩きのテーマは固まった。

（２０１７／10／１）

倉敷美観地区のまち歩き　ひとの心と景観の関係

12月に入り、日本都市計画学会中四国支部の会員やまちづくり関係者約30名が集まり、倉敷美観地区のまち歩きが開催された。中村さんは、あえて観光ルートから外れたコースを紹介し、冬の寒さの中でも、景観保全の考え方や現状など熱のこもった説明をしてくれた。筆者も美観地区には時おり足を運ぶが、大原美術館を訪れたり、パンを買ったり、カフェに行ったりと、いわゆる観光目的がほとんどで、景観を考えるために訪れることはあまりない。

中村さんの言葉で心に残ったのは、「美観地区のモール化」だ。おしゃれでおいしい店は増えたが、住み続ける人にとっては、新しい店がオープンし、観光客が押し寄せ、買い物をする姿は、大型ショッピングセンターの光景に重なって見えるようだ。景観は保たれたとしても、人や店舗の変化は激しい。残される景観と変わりゆく景観が今回のテーマだ。今回は、まず観龍寺から古い街並みを眺めた。白壁や歴史的建造物など、私たちの知っている美しい風景が広がっている。一方で、阿智神社の丘から倉敷駅方面を眺めると、新しいマンションなど、日本の典型的な都市空間を確認できる。中村さんによれば、倉敷市中心市街地には新しいものと古いものが並存しているが、近年は大正や昭和の時代に建てられた建物の多くが空き家となっており、取り壊しの対象になっているそうだ。

まち歩きの様子。右が中村泰典さん

参加者と、次世代に残したいものは何かについて議論をすると、景観だけではなく、人の考え方や思想の継承に話が及んだ。まちづくりの先頭に立ってきた人と、これから地域に関わろうとする若者との間には、人と景観の考え方で断絶が起きているかもしれないという意見が上がった。今回のまち歩きが、問題解決に直接つながったわけではないが、このまちには美しい景観を守っていこうと思う人が暮らしていることや、まちづくりに対する意識の違いがあることも分かり、実りのあるものとなった。

（2017／12／21）

公害を教訓に環境学習都市へ　倉敷・水島地区のコンソーシアムが目指すもの

2018年3月、シンポジウム『世界一の環境学習のまち・みずしまを目指して』において、倉敷市、地元経済界代表、水島の未来を考える会、水島おかみさん会、岡山大学、そして、みずしま財団（水島地域環境再生財団）が一堂に会し、みずしま滞在型環境学習コンソーシアムが設立された。コンソーシアムの目的は、倉敷市水島地区の歴史やコンビナートの歩み、公害の発生などを教材に、国内外の若い世代を対象として地域の担い手を育成するというものである。

約9万人が生活する水島は様々な顔を持つ。水島コンビナートは倉敷市の9割、そして、岡山県の5割の工業製品出荷額を担っている。第二次世界大戦中は、三菱重工業水島航空機製作所が設置され、その後、三木行治県知事によって大規模干拓と企業誘致が進み、新産業都市の優等生として岡山県を農業県から工業県に飛躍させた。しかし、コンビナートが発展する一方で、公害問題も起きた。コンビナートからの煙による呼吸器系疾患で多くの人が苦しみ、13年にわたる裁判闘争が行われた（1996年に和解）。前述のみずしま財団は、患者と企業との和解金の一部によって設立されており、長い対立の歴史は、多くの市民や組織のしこりとして今なお残っている。様々な感情や利害のもつれ合う現状は外部の人が容易に語れるものではない。それでもなお、地域で生活する人々と企業が向き合おうとしたのは、公害から環境への取り組みを後世に伝えていく時期に到達したからだ。

世界有数の環境学習都市を目指す水島地区、その精神的支柱をユネスコの理念に賛同した大原総一郎氏の言葉を参考にしてもらいたい。『高梁川流域連盟の出発』（「高梁川」創刊号、1954年）の一文である。

「世界に平和を、世界の人類は理解し合い愛し合おう。しかしその前に、近隣の人たちが理解し合い協力し合うことが先ずできなければならない。排他的になることによって結束を固めるという種類のことは、本当に理解しあい愛し合うことではない」

全国有数の規模を誇る水島コンビナート

大原は遠い国との友好関係よりも身近なまちの方が利害対立を起こしやすく、地域の共生が難しいと考えた。そして、高梁川をドイツとフランスを跨ぐライン川と重ね合わせた。ライン川には、文化と歴史、ゆっくりながれる風景と共に、国境を跨いだ苦難と交流の姿がある。大原はその経験をもとにして、高梁川は「親和協力の精神」を掲げるべきだとした。公害問題の究極的な解決は難しく、和解に時間を要するのも事実であるが、水島のまちづくりも、ぜひこの精神を取り込んでほしいと思う。しかし、多くの人々にとって、公害の記憶が徐々に失われてきていることが近年の課題だ。今回誕生したコンソーシアムが先駆的な事例になるためには、水島で様々な対立を超えて和解と協働に向かった背景を丁寧に整理し、地域共生を目指すことが大切である。

水島地区には可能性がある。国連やユネスコは、2030年に「だれも取り残されない社会」を目指してSDGs（持続可能な開発目標）を掲げている。また、倉敷市では2016年、「The

Power of Education～教育の力で未来をつなぐ～」をテーマにG７（先進７カ国）教育相会合も行われた。大原の述べた親和協力の精神は、ＳＤＧｓの理念に基づき倉敷のまちづくりへと引き継がれている。経済成長を支えた地域の経験を諸外国の若者が学ぶことで、水島地区は、世界一の環境学習都市へと向かっていくはずだ。

（２０１８／４／５）

環境まちづくりを問い直す

みずしま財団の誕生から

「水島では、コンビナート企業は裁判で負けるとは思っていなかった。水島の住民も、日本の大企業に勝てるもんかというのが一般的な考えだった。一審では勝ったが、裁判で和解をした。勝ったことになっていたけれども、勝ったも負けたもなくて、和解は和解なんだ。客観的にそう思っている」

倉敷市の水島地域環境再生財団（みずしま財団）副理事長、太田映知（てるとも）さんは、こう述べた。みずしま財団は、1996年12月に結ばれた倉敷公害訴訟の和解金の一部を使って設立された財団だ。主にぜんそく・COPD（慢性閉塞性肺疾患）患者への支援、瀬戸内海の環境調査、八間川の自然観察、公害資料の保存・活用を行っている。

太田さんは山口県宇部市の生まれで、水島で育ち、公害患者会の活動と訴訟、そして、みずしま財団の運営に携わってきた。太田さんは笑顔の魅力的な老紳士であり、語り掛ける口調は温かいが、眼光は鋭い。和解は、どのように生まれたのか。倉敷公害訴訟が1983年11月に提起された時、国内では大気汚染被害を訴える裁判が千葉・川鉄、大阪・西淀川、川崎の三ヶ所で先行していた。これに倉敷（水島）が加わり四大公害訴訟と呼ばれ、社会の大きな関心を集めた。96年までにすべての裁判が和解で解決したが、その間に、企業・国・自治体は環境問題に向き合い、責務を果たさなければならないという共通認識が生まれ始めた。

「もう解決しないといけなかった。世論の大きな流れがあり、裁判の技術の問題でもなかった。結局、企業の大気汚染対策は強化された。環境に対する意識の変化が大きかった」

倉敷公害訴訟和解の前日に川崎公害訴訟の和解がなされた。太田さんによれば、公害裁判は、地域個別の訴訟というよりは、公害を受けた都市が連帯した全国運動であるそうだ。しかし、決定的に重要だったのは、企業と患者との間で和解がなされたのと同時に、我々一般市民における環

水島地域環境再生財団（みずしま財団）副理事長　太田映知さん

境意識の高まりがあったことだという。1992年には、ブラジルのリオデジャネイロで環境と開発に関する国際連合会議が開催され、グローバルな規模で持続可能性への関心が高まっていた。和解をきっかけに始まったまちづくりについて、太田さんは言う。

「地域を全体として住みよくしていく、そのような街にならないと公害問題の解決にはならない。公害地域に住む人がなんとかしないと。感情的にも、地域の人たちの応援なくして裁判は続けられなかったのだから、和解金は原告のものだけれど、地域の応援がないと得られなかったものでもあるんです」

倉敷公害訴訟の和解条項には「解決金の一部を原告らの環境保健、地域の生活環境の改善などの実現に使用できるものとする」との一文が盛り込まれた。和解金が被害者救済だけでなく社会貢献に充てられるのは画期的だった。公害の最終的解決は容易ではないが、地域全体でまちづくりに取り組むこと、みずしま財団の原点はそこにある。財団における地域密着の姿勢は、財団が岡山県の認可団体として設立されたことからも明らかである。みずしま財団の取り組みは、公害で失われた水島の環境を回復させ、その恵みを地域に広げていくことに意義がある。

（2018／5／15）

次世代に伝えたい共生の意味

太田さんのインタビューの後日にあたる2018年5月12日、水島栄町商店街で「いす‐1グランプリ岡山水島大会」が開催された。車輪付きの事務いすに乗って1周200メートルのコースを2時間で何周走れるかを競うレースだ。その日は、ロックが響き、歓声があがり、商店街にはあふれんばかりの人が集まっていた。いす‐1グランプリは2010年、京都府京田辺市の商店街が企画し、各地で開催されているイベントである。水島では15年、日本事務いすレース協会（山形県）公認大会が中国地方で初めて開かれた。今回が4回目で、岡山県内外の72チーム（1チーム3人）が白熱のレースを繰り広げた。「おもしろいことをやってみよう！」という雰囲気が水島に生まれている。

事務いすに座って走り抜ける「いす-1グランプリ」

さて、みずしま財団の取り組みに話を戻そう。

公害の経験は、同じ場所にいながら顔を合わせづらいしこりを残し、複雑な人間関係を生む。太田さんによれば、裁判ではなく、日常的な交流を生み出すのがみずしま財団の最優先事項であったという。太田さんは語る。

「財団では、地域をどうするのかというパートナーシップの醸成をしたかったんですよ。財団が仲立ちする形で、ひとつのテーブルで議論し合う場。和解の時はできてもね、日々の生活でしないと。地域全体を見ても、地区も、企業も、行政も、力はそれぞれ弱い。被害を受けたのは住民なんだけれど、ひとつのテーブルでみんなが話し合えることを財団として掲げてきた。地域住民が人権を守っていくことを、きちんとみんなで考えていきたい」

企業の社会的責任（CSR）の意識は高まり、今年

3月にはみずしま滞在型環境学習コンソーシアムも組織され、少しずつ地域の風通しにも変化が起きている。みずしま財団は、これまで、空の問題を海から眺めようと瀬戸内海の水質問題を取り上げ、地域を流れる八間川をシンボルとした環境再生にも取り組んできた。八間川はかつての備前と備中の国境であった東高梁川に位置し、古くから工場排水を流すのに使われていた。みずしま財団では、住民参加型の自然観察の場として川をきれいにし、地域の一体感を生み出そうと試みた。

最後に、環境まちづくりに対する財団の姿勢もうかがった。

「水島には、発展と公害の双方の歴史がある。きちんと規制して空気を地域と一緒に守っていかなければならない。だから、財団として言うべきことは言う。勤めている人も、子どもも、家族も、コンビナートのお世話になっているので言いづらいこともあるけれど、財団は裁判をしたのだから、被害者の立場できちっと言える立場にある。公益財団の使命をはみ出すことはないけれど、遠慮なくものを言えることが一番重要だと思う。何のための活動かといえば、被害を受けた患者さんが子どもたちの世代のために頑張ってきたことを守り続けること。これが財団としては基本的なミッションだと思う」

財団の設立背景をうかがい、太田さんが持つ水島への思いを強く感じた。日本の成長を支えていくために苦難を受けざるを得なかった人がいて、財団は、その人に寄り添い、支援を続けてきた。その結果、公害反対から環境保全へとまちづくりに対する意識が変化してきた。私たちはそのことを忘れてはならない。

（2018／05／17）

下津井港・六口島を巡る

地域の潜在力を活かす

倉敷市の児島・下津井界隈には、これまでなかなか足を運ぶ機会に恵まれなかったが、2018年10月、岡山大学の留学生10人と1泊2日の滞在プログラムでようやく訪れることができた。歩き始めると、漁師町の持つ力強さがあちこちに感じられるほか、豪華な家々の連なりに一同驚いた。

留学生とまち歩きをする時、いつもよりゆっくり時間を取る必要がある。留学生は、日本人が素通りするような、家の色、果実、鳥居、商店、花壇、建築などに、強く興味を惹かれるのだ。どこに続くか分からない小道は、冒険となる。下津井港は美食のまちなのか、観光のまちなのか、漁港ならば何がとれるのか。留学生は、日本人のガイドにいろいろな質問をする。ガイドは、漆喰壁やなまこ壁、虫かご窓や格子窓などの伝統的な建築を紹介し、美しさはもちろん、夏場を快適に過ごすための工夫があると説明してくれた。ガイドがいなければ通り過ぎてしまうかもしれないが、留学生はそれを教えてもらって初めて機能美に気づく。留学生と一緒にいると、日本人の私たちの方が、暮らしの中にある気づかなかった面白さに遭遇する。

さらに、細い路地を歩いて行くと、四柱神社に到達する。そこからの瀬戸大橋の眺めは素晴らしい。反対側に位置する祇園神社からの眺めもまた絶景である。高台から下津井の町並みを見下ろすと、迫る山と海との隙間にぎゅっと人々が暮らしているのが分かる。「むかし下津井回船問屋」には、北前船の模型、漁業や町屋の暮らし、民具などが展示してあり、なかなかの充実ぶりだ。海からは、船に乗って遠くから宝が届く。北前船がもたらした富が、岡山県の干拓と深く関わっている。大量に購入された北海道のニシン粕は、綿花の増産を進める干拓地の肥料となった。岡山の干拓が広がるほどに、下津井は繁栄していった。綿花の栽培はその後、繊維産業の礎になり、児島は近年ジーンズ生産の一大拠点として注目されている。

今回のまち歩きは、留学生と一緒に下津井港・六口島の振興策を考えるのが目的であり、留学生は、まちの雰囲気を味わいながらその活路を探していく。倉敷市最大の観光地は美観地区であるが、児島・下津井、水島、玉島などもそれぞれ独立した個性を持っているため、倉敷の観光と一口に言うことはできない。かつての下津井は繁栄していたが、少子高齢化による地域の衰退も顕著になっているため、留学生の視点から地域活性化のアイデアを掘り起こせないかという相談を受けたことで、合宿を企画したのだ。

今回は、外国人観光客を呼び込むためのインバウンド施策を検討した。やはり、住んでいる人に、外から訪れた人に対し地域の誇りや自慢を伝えてもらうのが、楽しく分かりやすい。特に、瀬

留学生の素朴な質問に地域活性化のヒントがある

立ち止まっておしゃべりをする時間が楽しい

瀬戸大橋を眺める留学生

戸内は、世界へつながる壮大な海が大きな資源だ。留学生は、まち歩きを十分に楽しんでいる様子で、観光地化されすぎていない地方こそ日本らしさがあると思っているようだった。次稿では、下津井のまちづくり有志から新しい試みをうかがいたい。

（２０１８／11／５）

滞在型の漁村を目指して

２０１８年5月24日、倉敷市下津井と玉島は日本遺産「荒波を越えた男たちの夢が紡いだ異空間〜北前船寄港地・船主集落〜」に追加認定された。下津井港は、昭和61年に岡山県の町並み保存地区にも指定されている。今回、むかし下津井回船問屋・前館長である矢吹勝利さんに下津井の歩みについてうかがった。まちづくりの道のりは、平坦なものではなかったようだ。

「私が館長になる前から、下津井を活かした観光地づくりを考えていた人たちがいて、古い街並みや古民家の活用について検討されていました。私もその話を聞いて、回船問屋だけでは、地域の持続性は厳しいと思っていました。そうした状況の中で若手の芸術家たちの拠点が欲しいという話から、美術館だった建物のことを紹介したところ、その建物を活用した吹上美術館ができたりもしましたが、資金的に行き詰まり閉館となってしまいました。その後、古民家を取り壊して分譲地にするという話も出ましたが、取り壊してしまえば二度と同じものは出来ないので、それは少し待って下さいということで、再活用の道を探りましたが、容易に見つかりませんでした。ともあれ急がば回れだと考え、今は古民家の再活用だけでなく、様々な観点からの地域の活性化を図ろうと考えています」

筆者が留学生と下津井を訪れたのは、暮らしを機軸とした滞在型漁村をつくり、人を呼び込む策を検討するためだ。矢吹さんらの有志は、食の活用、所得向上、雇用促進を含んだ農泊を推進する農山漁村振興交付金を申請している。現在は全国で300カ所が認定されているが、ほとんどが農村で、漁村は珍しいという。児島地区に本社がある平成レンタカーの牧信男さんは次のように語っている。

「児島・下津井に、鷲羽山、島、町並み、ジーンズストリートがあるのは大きい。これから下津井が拠点になる可能性があります。瀬戸内海は豊穣の海と呼ばれていた時期もありますが、漁だけで生計を立てるのは難しいため、観光もあわせてやっていかなければなりません。産業をつくり、人をつくり、仕事をつくり、まちをつくりたい。若い人が住んでいける環境を応援して、下津井をその結節点にしていきたいのです」

かつての下津井は、人の行き交いが難しいほどに人があふれていたそうで、当時の記憶を持つ人々にとって、閑散とした現在のまちは非常に寂しく感じられるようだ。矢吹さんは言う。

「小さいイベントを数多く繰り返すたびに、回船問屋を訪れる人は増えてきました。地域の人は街がにぎやかになることをみんな喜んでいる。こうした状況を定着させる必要がある。また街を活性化するためには、この地域に住む人を増やしていくことが大切です。そのためには働く場所が必要です。今は様々なノウハウを使って地域産業をつくり出していこうと考えています」

地域の人のやる気がなければ、動くものも動かない。ただ、地域の浮き沈みは、自助努力にのみ左右されるものでもない。たとえば、市町村合併、産業の転換、ライフスタイルの変化、行政の支援など複合的な要因がまちづくりに影響を与えている。下津井が繁栄したのは、北前船が人の往来、物流、情報が集まってきたことが大きい。

下津井が滞在型の漁村になるための要素を考えてみた。この地を訪れる人は、大都市の喧騒から離れ、ゆっくりした時間を求める人であろう。小さい規模を活かすには、瀬戸内の味覚のＰＲはもちろんのこと、地域の人々と一緒に体験するといったアクティビティを増やしていくことだと思う。最後に、留学生たちの意見を聞いてみよう。

（２０１８／11／６）

留学生が見た島の魅力

留学生10名と、下津井港から船で約10分の六口島（むくちじま）に宿泊した。留学生は、時間の楽しみ方をよく知っている。散歩に出かけたり、レモンのような柑橘類を見つけたり、日光を浴びだしたり、急に手伝いを申し出たり。側にいると、こちらも楽しく過ごせるが、引率教員はとにかく忙しい。スケジュール管理に迷子捜し、時には学生を叱ったりすることもある。留学生は10月中旬の瀬戸内海に臆することなく飛び込んだ。その日の最高気温は25度。筆者も同じく泳いでみたが、驚くほど暖かかった。学生たちはいたって自由である。魚が全く食べられなかった学生が、下津井のタコを絶賛し、食べ始めたのには驚いた。また、彼らは、興味津々、跳ね上がる魚に触れている。釣竿やスコップを見つければ、遊びを生み出していく。

六口島では、漁村の地域振興策についてワークショップを行った。留学生は、漁村の体験に加え、伝統的な風景や地域の価値観に心を奪われたようだ。

「プライベートビーチのようだ。海と港の景色がよい。(神社で紹介された) 神様の話が面白い。何の神様を信じているのかなど、勉強になった」

「生きているタコや干しているタコを見て驚いた。生き物をいただくことに感謝する気持ちになった。魚は好きじゃなかったけど、六口島だから食べることができた。魚を触ることもできてよ

実演販売で大盛り上がり

初めての漁体験。何がかかるか楽しみだ

かった。島の人と信頼があったからできた」

「ガイドさんから説明を聞いて、六口島にくると、何かお手伝いしたい気持ちになった。ごみ拾いをするなど、お返しをしたいという気持ちが生まれた」

「いっぱいお客さんが来るよりも、環境を大切にする同じ気持ちのあるお客さんが増えるのが良いと思います。観光に来る前に見る1、2分のビデオがあれば、お客さんも一緒に地域のことを考えてくれると思います」

「日の出、日の入りなど自然のサイクルが感じられる。自然のままの状況は貴重だ。なんてきれいなんだ」

留学生は、漁村の活性化策についても矢継ぎ早に提案を行った。歴史的な変遷の解説や写真の設置、通訳や仲介役が必要であること、体験型プログラムなどの活動の整理、彫刻などのクラフト体験、男女別々で場所が離れたトイレ、ボランティア客への宿泊を安くして長期滞在を可能にすることなど。これらの提案は、岡山の観光まちづくりの全般にあてはまるのではないだろうか。

その中で、特に感心する意見もあった。

「小さな家があったら、1カ月泊まって、伝統的な日本が知りたい。ターゲットは、同じ考えを持ってまちを好きになる人にしぼると良い。歴史や景色にお金を払うような感じになれば良い。エコロジーが好きな人は、水を大切にして、掃除をして、島を守る人です。大切なものは海からやってくるから、水の使い方やエコの姿を学んだ方が良い」

留学生の関心は、地域の資源を大切に使う姿にあったようで、伝統的な生活の中に日本のサステナビリティ（持続可能性）を見いだしていた。地域のみなさんは、留学生に、心の通じ合いによって下津井の思い出を作ってもらいたいと述べており、留学生はその気持ちをしっかり受け止めたようだ。留学生は、日本が大切にすべきまちづくりの精神を見事に感じとってくれた。

（2018／11／6）

大原總一郎の講演テープ

地域から世界平和を目指す

「ただいまご紹介にあずかりました、大原總一郎でございます」

大原總一郎（１９０９〜１９６８）の肉声をテープで初めて聴いた。話し方はゆっくりと誠実で、格調高さが感じられた。總一郎は、１９０９年に孫三郎の長男として生まれ、１９３９年、倉敷絹織株式会社（現クラレ）の社長となる。高梁川流域連盟を創設し、大原美術館理事長や物価庁次長や日本経団連常任理事などを歴任し、戦後の経済、文化、地域において大きな貢献をした。残念なのは、58歳の若さで亡くなったことだ。

筆者は、戦前から高度経済成長期にかけて、總一郎が思い描いた社会に関心があった。それを明らかにできれば、彼の死から50年を経た令和の日本の歩みと、実現できなかったものが、同時に浮かび上がるのではないかと思えるからだ。總一郎は、経済産業論、地域社会論、芸術音楽論、自然論について膨大な執筆を残している（大原總一郎随想全集1〜4、福武書店）。不十分な分析

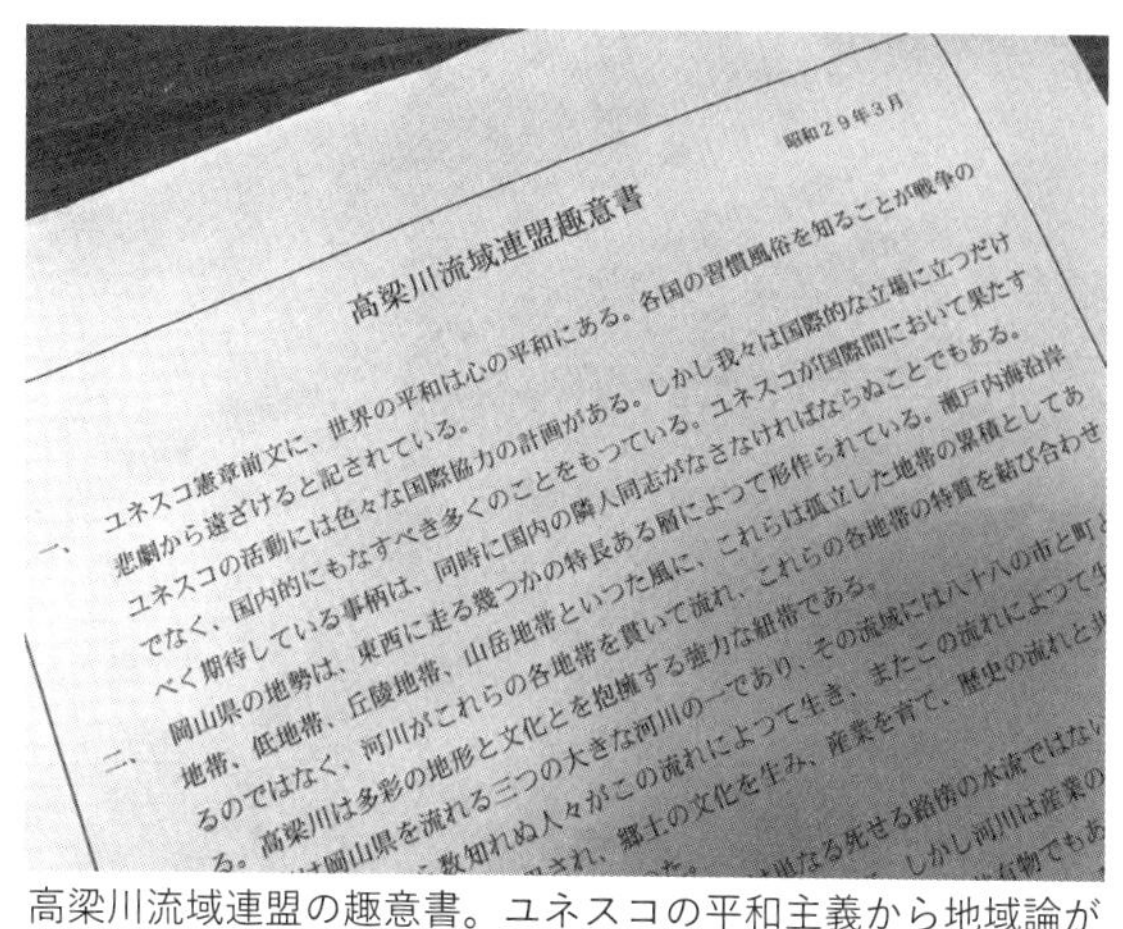
昭和２９年３月

高梁川流域連盟趣意書

一、ユネスコ憲章前文に、世界の平和は心の平和にある。各国の習慣風俗を知ることが戦争の
悲劇から遠ざけると記されている。
ユネスコの活動には色々な国際協力の計画がある。しかし我々は国際的な立場に立つだけ
でなく、国内的にもなすべき多くのことをもつている。ユネスコが国際間において果たす
べく期待している事柄は、同時に国内の隣人同志がなさなければならぬことでもある。
岡山県の地勢は、東西に走る幾つかの特長ある層によつて形作られている。瀬戸内海沿岸
地帯、低地帯、丘陵地帯、山岳地帯といった風に、これらは孤立した地帯の累積としてあ
るのではなく、河川がこれらの各地帯を貫いて流れ、これらの各地帯の特質を結び合わせ
る。高梁川は多彩の地形と文化とを抱擁する強力な紐帯である。

二、　岡山県を流れる三つの大きな河川の一であり、その流域には八十八の市と町と
数知れぬ人々がこの流れによつて生き、またこの流れによつて生
され、郷土の文化を生み、産業を育て、歴史の流れと共
なる死せる路傍の水流ではない
しかし河川は産業の

高梁川流域連盟の趣意書。ユネスコの平和主義から地域論が出発する

ではあるが、總一郎の思想は次のようなものだ。

高梁川流域連盟の趣意書にあるように、彼は世界平和の実現を地域から始めたいと考えていた。そして、急激な経済成長に向かう日本社会が、自然、地域、文化の豊かさを犠牲にして成り立つのを危惧していた。経済人としての彼は、日本が欧米と肩を並べるには、科学技術を基にしたイノベーションしかないと信じてやまず、純国産の合成繊維・ビニロンの開発に並々ならぬ情熱をかけていた。また、彼は戦争に対し強烈な反省の念を抱いていた。自分の意思に反して、企業人として太平洋戦争を支え、社員を失った経験があるためだ。

總一郎は、自身の唱えた「親和協力」の精神を基礎にして、高梁川流域で地域共生の実践を進めようとした。次項では、彼の講演録テープの内容を紐解いてみたい。

（２０１９／７／17）

と考えている次第であります」

社会生活を緩やかに調和させる作法

「当時、父（孫三郎）が、研究所の期待に必ずしも応えられなかったにもかかわらず、今日何がしかお役に立ち得ましたことを顧みて、亡き父がしたことも何がしか意味があったのではないかと考えている次第であります」

法政大学多摩キャンパス（東京都町田市）にある大原社会問題研究所に、１９６５年に録音された總一郎の講演テープが残っていることを知り、足を運んでみた。講演録そのものは、同大学の吉田健二先生がまとめており、インターネットを通じて論文を読むことができる（注）。しかしながら、その声を直接聴いてみたかったのは、彼の人となりに触れたいと思ったからだ。その雰囲気から總一郎の伝えたかったことは何なのかを探っていきたい。

總一郎の声は、ゆったりと落ち着いて一定のペースを保っている。総一郎は「大原社会問題研究所の誕生」という50分程の講演で、聴衆の理解に応じて丁寧に話していた。この研究所は、１９１９年に父・大原孫三郎が大阪・天王寺に設立したもので、１９４９年に法政大学へ合併された。社会運動や労働組合などの社会労働問題を扱っており、貧困問題、環境活動、女性労働問題を含めて幅広い活動を行っている。講演テープでは、彼の性格なのであろうか、あいまいな点は避けようとし、大原社会問題研究所は父の功績である旨を淡々と述べている。その様子から、誠実な人柄がうかがえる。一方で、研究所の設立に関わったのは父であることが強調され、總一郎自身は独特の距離感を保っていることも分かる。それは、同じ大原家ではあるが、父と子の考えは違うのだと言っているようにも感じた。

1946年4月、總一郎は、第5代NHK会長となった高野岩三郎を訪ねていた。高野は、設立から1949年の没年まで大原社会問題研究所長を務め、日本社会党の設立や憲法改正案を提出した人物としても知られている。

總一郎は、講演の最後に一言、彼自身が研究所に抱いている思いを述べている。

「私はNHKの会長室に高野先生を訪ねました。外部はデモ隊に囲まれ怒号が飛び交っていましたが、会長室には女子従業員から送られた花束がたくさんテーブルに置かれていました。非常に珍しい光景であり、コントラストでありました。私はそのとき、大原社会問題研究所の役割は戦前におきましてはもう終わったと思いました。そして、大原社会問題研究所がなお戦後において活動をつづけますならば、イギリスにおけるフェビアン協会のようなありかたでやっていくのが最も適当ではないか、と思った次第であります」

總一郎は、1947年1月に日本フェビアン協会を設立している。GHQが日本を占領する時代において、總一郎は日本の民主化を期待していた。英国の社会主義知識人によって設立されたフェビアン協会は、社会主義と民主主義を研究する機関として生まれ、「研究と啓蒙」に力を入れ、直接的な政治活動を行わないことを旨としていた。おそらく、總一郎自身は、労働運動や階級闘争だけに頼らなくても、社会生活を緩やかに調和させる作法を思い浮かべていたのかもしれない。残念ながら、このフェビアン協会も、總一郎の死の翌年に解散することになる。

録音テープを聞き終わったあと、戦後復興、バブル景気を経て、人口減少社会を迎えた日本の現状は進歩したのか、後退したのかと考えた。總一郎の求めた地域の平和と民主化は、令和の時代においても、輝きを失うものではない。むしろ、その緊急性は高まっているのであろう。

（２０１９／７／18）

（注）吉田健二「大原社研創立45周年記念講演：大原総一郎『大原社会問題研究所の誕生』」大原社会問題研究所雑誌　２０１０年（９・10月）（６２３・６２４）を参照。

水島でパーキングデイ

駐車場からまちの拠点に

2019年8月30日の金曜日夕刻から晩にかけて、倉敷市水島商店街で面白い取り組みが行われる。その名も、「水島パーキングデイ」だ。ほとんどの方にとって耳慣れない言葉かもしれない。パーキングデイは2005年アメリカ・サンフランシスコ発祥で、地域住民、学生、デザイナーが一緒になり、道路や駐車場を一時的に憩いの空間に変えてしまうイベントだ。たとえば、椅子やベンチを置いたり、ソファで本を読んでみたり、卓球をしてみたり、オープンカフェを開いてみたり、イヌやネコなどと交流してみたりする。その目的は、住民が道路空間を楽しく使い、地域に目を向けてもらうことだ。パーキングデイでは、住民が連帯しまちづくりのメッセージを発信する。正しくは、PARK（ing）Dayと書き、9月の第三金曜日に世界各地で行われている。今回、本家アメリカと水島では日程にずれが生じた理由は、本家の日程を知る前に、日程を調整したためだ。ただ、日々是精進。次回の企画段階では、本家と同じ日に設定したい。

さて、この水島パーキングデイは、偶然の重なりから出発した。水島商店街にはスーパーマーケットがあり、そこはかつて地元の百貨店としてにぎわっていた。その駐車場を使ったイベントができないかと構想が持ちあがったのは4月頃。水島の有志が緑を楽しむ交流イベントを企画する中で、岡山大学に相談があった。ちょうどその時、アメリカ・ポートランドのサウミャ・キニ研究員がパーキングデイの取り組みを紹介したこともあり、できる範囲で挑戦することになった。しかしながら、何ができるか、何をするのか、なかなか定まらない。ただ、商店街を楽しんでもらうために一歩進んでみようという気持ちは日に日に強くなった。

今回のパーキングデイは、サウミャさんとともに来日したポートランド市公園局のジョニー・フェインさんから多くのアドバイスをいただいた。フェインさんは、造園や景観設計のスペシャリストであり、パーキングデイが単に人が集まるイベントではないと教えてくれた。8月5日に開催された実行委員会では、「このイベントの目標はどこにあるのか。終わった後に何がしたいのか」とフェインさんはメンバーに問いかけた。そして、まずは商店街の人たちが抱く夢や希望を共有し、それらをどうすれば駐車場で実現できるのか考えようと呼びかけた。実行委員会からは次のような発言があった。

「水島にある常磐町や栄町は名古屋の地名なんです。太平洋戦争中、水島にはゼロ戦を作る工場ができ、名古屋から多くの技術者が引っ越してきました。百貨店は、今はないけれど5階建てで、まちのシンボルだったんです。だから、思い出のある場所であり、みんなの百貨店。名前も、『第一売店』で、その隣には銭湯もあったらしいです。買い物もお風呂もでき、何でもあるし、まちの中心だった。思い出の場所だから、みんなの場所であることを再認識したいのです」

「水島は、素敵な場所があんまりない。そのため、ミズシマ夕暮れガーデンなどのイベントをしています。ソファ、音楽、カクテルがあって、そこにいったら気分が良いとか、くつろげるとか、素敵な場所が広がってほしい」

「空間に緑があるといいなあ。木や植物があって、お花見の時期だけじゃなくて、植物があると

仕事終わりのミーティング。意見出しをする

駐車場はどのように変化するのだろうか

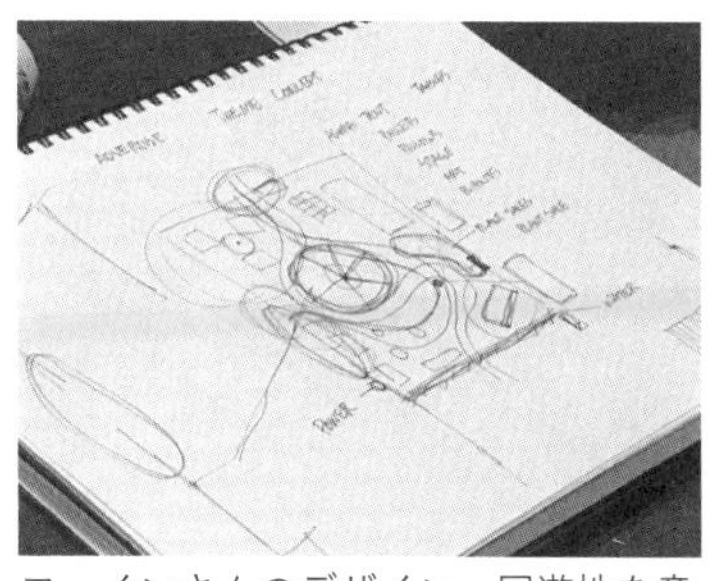

フェインさんのデザイン。回遊性を意識している

ころに、人が集まってほしい。きれいなものがあれば、自然に人が集まるだろうし、何をしなくても、リラックスできる空間が欲しいんです」

水島商店街は現在シャッター街になってしまい、ビジネスホテルが増えている。陽が落ちていくと、夜の飲食店が活気づく。まちの姿は、昼と夜で大きく違うのだ。まちの核となるものを意識できなければ、どこにでもある均一的なまちになってしまう。たとえば、日本では城、欧州では教会や広場のように、まちのにぎわいはシンボルを拠点として広がっていく。パーキングデイは、みんなの場所を創り出すものだ。フェインさんは、パーキングデイで求められるものを分かりやすく教えてくれた。

「イベントをするのは、みなさんの気持ちを共有するためなんです。駐車場にも色んな使い方があるのを知ってもらって、ワクワクとか、すごいとか、楽しいという気持ちから始めていくのです。ひとつの空間を見るだけでは、人々の気持ちを想像することは難しいので、イベントを通して考え方をオープンなものにしていきましょう」

その後、パレット（輸送用木材）を使ったテーブルやベンチの設置、食事を通じた交流会、コンサート、卓球・サッカーなど、色々なアイデアが生まれていった。夜遅くまで議論は続けられたが、さて、どこまでできるのだろうか。8月30日を楽しみにしたい。

（2019／8／8）

大事なことは心の変化

「そうそう、いいですね！」。水島商店街で8月末に行われたイベント「パーキングデイ」の総合監督になってくれたジョニー・フェインさんは、学生たちに指示を出す。

学生たちはてきぱきと動く。イベント舞台、観客席、ドリンクや食事スペースなどをパレットで作っていく。駐車場がみるみる人の集う空間へと変わっていく。最大2時間はかかると思っていた作業は1時間足らずで終わってしまった。電気工事にも強い「水島盛り上げ隊」（商店街の若手まちづくり団体）は難しい作業も手際が良い。学生や地域の皆さんが一丸となったおかげで、予想以上にうまくいった。パーキングデイとは、アメリカ発祥で、地域住民、学生、デザイナーなどが一緒になり、道路や駐車場を一時的に憩いの空間に変えてしまうイベントだ。

基本的な設営が終わってからがパーキングデイの醍醐味であった。フェインさんは電灯タワーを作り、学生たちは駐車場に絵を描き始めた。各自がやりたいことを自由に進めていく。「道路に絵を描くのが夢だったんです」と、授業では知りえなかった絵心に驚いた。学生たちは笑顔でいっぱいだ。

陽が落ちてからステージで音楽ライブが始まった。オムライスとサンドイッチを食べながら素敵な音楽に耳を傾ける。夕日に染まる商店街もきれいで、薄暗い雰囲気が幻想的でおしゃれでもあった。商店街の人々も横を通ったり、また、立ち止まったりして、不思議そうに眺めている。地面にお絵かきをする子どもたちもおり、総勢70名近い参加者があった。

学生はパーキングデイをどのように感じたのだろうか。感想を聞くと、開放感があり、完成図を想像しながら自由にパレットを配置していったことが面白かったようだ。また、共同作業を通じてゼロから空間づくりをするのも達成感があったようだ。人が集うには、入りやすい雰囲気が大切である点は参加者一同、納得した。一方、反省点も多く上がった。地元からの参加が少なく、あまり話す機会がなかったこと。また、何のイベントかよく分からず会場に入りづらいとの指摘もあった。学生からは、看板を建て、パーキングデイの内容をもっと明示すべきだとの意見や、昼に開催してはどうかとの提案があった。

学生たちは、岡山初開催のパーキングデイを成功させるために色々と考えてくれており、それにも増して、地域の交流をとても楽しみにしていた。学生たちの地域志向は年々強くなっているように感じられる。変化の激しい時代で、自分自身の拠り所を求めているのかもしれない。瞬時に壊れ、消えてしまうデジタルな社会で、人の営みが生む力強さに魅力を感じているのではないだろうか。

筆者は昨年度から水島で合宿を行っている。もちろん、事前に大学で座学中心の講義をしてい

日が落ちてから始まったライブ演奏は大人の雰囲気

子どもの頃に夢見た道路でのお絵かき

舞台が完成。不思議そうに様子を見る人も

看板作りもなかなか上手だ

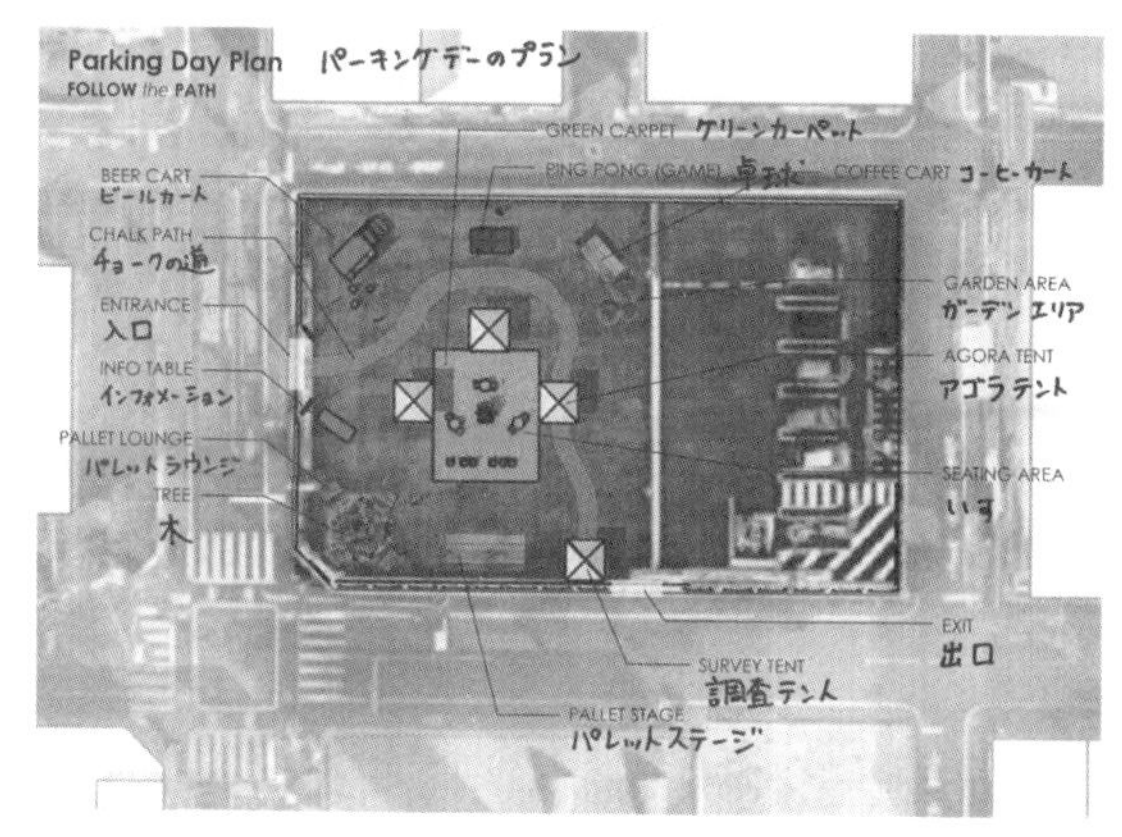

フェインさんのデザイン。どこまで達成できるだろうか。筆者も翻訳を担当した

るが、合宿形式の講義のいいところは、手間がかかることはさておき、教員と学生同士が話し合う場をつくり、講義では質問しづらいことなども聞き出し、学生たちの積極性を伸ばせることだ。フィールドに出ると、教員も忙しく、いっぱいいっぱいになる。そのような時、学生たちは一生懸命に動き出す。そして、教科書には載っていないような、地域の本音の聞き出し方を知る。それは、まちの人と汗をかき、思わぬところの会話から始まる。そこから、地域の面白さを知る。

まちづくりには色々な形があり、多くの人は黙々と時間をかけ取り組んでいる。そして、地域には男性、女性、子ども、高齢者、企業、商店主、市民団体に至るまで、多様な意見があり、学生たちはそれぞれの立場に立って物事を考えなければならない。しかし、学生たちが最初にすることは、まず地域を好きになって、ワクワク、ドキドキの気持ちを大切にすることだ。まちづくりを学ぶには、受け身ではなく、自分自身で考える力を養うことが大切なのだ。フェインさんは、改めてパーキングデイの目的を教えてくれた。

「駐車場を人間の空間に変えることは、住んでいる人の考え方を変えて、まちに広げることなんです。大きなデモンストレーションなのです」

まちづくりはやはり住んでいる人が主人公である。地域のイニシアチブが大切なのだ。

今回、岡山大学だけではなく、熊本大学や金沢大学からもパーキングデイに集まってくれた。水島で学んだことをそれぞれの地域で活かしてもらいたい。次稿では、この翌年に開催されたパーキングデイを紹介する。

（2019／9／7）

パレットが結ぶ倉敷市水島商店街

2020年9月18日、岡山大学の学生たちと再び水島商店街に合宿でお邪魔した。合宿授業の目的は、まちづくりを実践する人々と交流し、彼らのモチベーションや地域課題の現状を探ることだ。キャンパスの講義では、都市論や市民参画論をレクチャーしているが、現地に赴いた方が分かりやすい。

昨年度に続き、水島パーキングデイの準備から参加した。道路や駐車場といった車の空間を、人のつながりを取り戻すパブリック・スペース（公共空間）に変えるイベントだ。人が車を降りて、街を歩きだすと、滞留時間が延びていく。そこで買い物をすれば、地域経済も活性化する。パーキングデイは、そこに対話や交流の要素を加える。パーキングデイには、現代のライフスタイルへの反省も込められている。車やインターネットなどの利便性を追求するあまり、人の交流が弱まってしまうと、地域の活力も失われてしまう。まちで過ごす時間が減っていくと、出会いの機会も失われてしまうのだ。

当日、朝から作業が始まった。空き地だった場所に、芝生を敷き、テントを張り、カフェ・スタンドを設置した。水島商店街に緑を基調とした一番居心地のいい場所が誕生した。現地の参加者は、大工、電気屋、デザイナー、ガーデナー、カフェなど幅広い。商店街がチームワークを発揮すれば、家が建つような勢いで空間が変化していく。もはや、ボランティアの域ではなく、学生たちも手際の良さにただただ驚いていた。

開催時間の15時には、駐車場は、おしゃれな公園へと生まれ変わった。おしゃべりをしたり、絵を描いたり、ラクロスや卓球をしたりしていると、陽が落ちてゆくにつれて人が集まりだした。ミズシマ・パークマネジメント・ラボ代表の古川明さんは水島パーキングデイについて学生たちに説明してくれた。

「簡単に申しますと、パーキングデイとは、車が中心となっているまちなかの空間を人間の手で取り戻しましょうという活動です。今年は、一般社団法人ソトノバ（居心地の良い空間づくりを支援する全国組織）を中心に全国（横浜、八千代、四日市、長浜、水島、竹原）で開催されています。他のまちは、行政が強くかかわっていますが、商店街の地元有志で頑張っているのが水島の特徴です」

水島の特徴は、パーキングデイのファンがすでにいる点もあるだろう。昨年度のプレ開催がとても印象深く残っているようだ。

「昨年は、たまたまアメリカ・ポートランドのジョニー・フェインさんやサウミャ・キニさんが指導してくれました。その時、パーキングデイは、公共の場所を取り戻し、くつろげる場へ変えていくことだと教えてくれました。私たちも、パーキングデイを単なるイベントではなくて、日常的に雑談する『まちのリビング』をつくることだと思っています」

今年度のテーマは「ミズシマ・パレット」だそうだ。パレットには、会場設営で活躍する輸送用の木材（Pallet）と、絵の具を混ぜ合わせる板（Palette）の二つを掛け合わせている。地域の力で

パレットで椅子を作成。とても上手だ

まちを案内する古川さん（右）

まちの景色をいかようにも描けるというメッセージを込めているとのことで、なかなかお洒落なネーミングだ。続いて、学生たちの意見に耳を傾けてみよう。

「駐車場は何もない場所でしたが、夜から光が灯りだして、活気が出ていました。地域のみなさんで公共空間を最初から作れることを実感しました」

「人のつながりの強さに驚きました。一人じゃできないし、団結がなければ、できなかったと思います。楽しかったので、良い日になりました。駐車場を何とかしたいという気持ちが伝わってきました。夏祭りはみんなで楽しむ日ですが、パーキングデイは百貨店跡地を良くしたいという気持ち、どうにかしたいという気持ちを感じました」

水島パーキングデイの開催地は、もともと百貨店があった場所で、現在、駐車場になっている。初めて訪れる人にはただの駐車場でしかない。しかし、古川さんは「みんなの思いが強いので、なんとか使いたい。今の駐車場ではさみしいと思っているのです」と言う。昨年度はパーキングデイに挑戦することで精いっぱいだったが、今回の合宿授業は、水島商店街の皆さんが持つ思いに触れることができた。

次稿では、商店街のお母さんたちによる「水島おかみさん会」の話を紹介したい。

（2020／9／25）

商店街が一番元気だったとき

少し日が暮れ始めた水島。午後6時から、県立古城池高校と岡山大学の学生は「水島おかみさん会」から話をうかがった。テーマは「水島商店街が一番元気だった時」である。水島商店街のみなさんが百貨店跡地の駐車場にどうして強い気持ちを持っているのか、筆者の関心もそこにあった。おかみさん会は、商店街の歴史を話してくれた。

「こんばんは。ようこそ、水島へ。人が集まったのは、何日ぶりでしょうか。コロナ禍で自粛していまして、さみしい限りでした。

水島商店街の誕生は、昭和22年です。三菱重工業が千鳥町から弥生町まで約2キロの社宅を希望者に払い下げました。戦前の話ですが、名古屋から三菱の会社がやってきて、戦闘機を造っていました。名古屋の人が多かったため、栄町、常磐町、千鳥町など名古屋の地名がつきました。かつては、三菱、川鉄（現・JFEスチール）など会社の人もいらっしゃって、買い物に来ていました。東京の渋谷のように人が込み合った状態があったんです」

おそらく、初めて水島を訪れる学生たちにとって、にぎやかな商店街をイメージするのは難しかったかもしれない。それほどに、語られる商店街の様子が、現状と違うのだ。おかみさんの会は色々なエピソードを教えてくれた。遠足の前、菓子屋は子どもであふれていたこと、おもちゃ屋は、水島で一番大きな店であったこと、クリスマスには、ケーキを求めて行列ができたこと。岡山県有数の商店街が水島にあったのだ。

「水島花火大会は、1951年に始まりました。もともと、港で行っていましたが、コンビナートができたので、亀島山に会場を移して、本格的になったのは1956年の水島港まつりからです。1966年に今も続いている商店街の七夕祭りが始まりました。常盤町商店街には、きれいなアーケードがあったんですよ（1968年に設置。2005年に撤去）。雨が降ってもきれいだし、安全だし、今の商店街とは全く違っていたんです。ちょうど、その頃、駐車場の前にある常盤ビルや信金ビルもできたんです」

水島コンビナートの発展が、にぎわいにつながり、地域のイベントもどんどん増えていった。おかみさん会は当時の好景気を懐かしそうに語ってくれた。

「本当に、えぇ時代があったんです。1955年頃は、何もせんでもよく売れました。本当に順風満帆の好景気です。たとえば靴屋さんは、毎日、靴を並べたらすぐに売れた。2階にある靴の箱を上げ入れして、足が痛くなったそうです。人が来て、良い時代でした。夢物語みたいです。その頃は、車ではなくて、自転車でやってくるようなお客さんでした。コンビナートにくる人、従業員、社宅に住む人など、水島出身以外の人もどんどん増えてきました」

水島商店街で生活する人は、駐車場になる前の空間を鮮明に覚えている。まちが元気な頃の百

学生たちに語りかける水島おかみさん会のメンバー

貨店の姿だ。駐車場しか知らない筆者たちとは、見えているものが違うのだ。

「1967年から1968年が一番にぎわいました。百貨店ができたのは1963年ですから、とにかく、水島商店街には、どんどん色んなものができました。普通のお店から5階建ての百貨店になったときに、水島にはやはり勢いがありました。5階建ての建物を見ると、みんな繁盛している姿を思い浮かべました。ビアガーデンがあって夏の楽しみだったんです。百貨店の中には、寝具から贈答品、学生用品までほとんどあったんです」

1970年に水島臨海鉄道が誕生し、倉敷駅までのアクセスも向上する。一方、水島商店街の好景気は、1955年から1975年までの20年ほどであったようだ。

パーキングデイの会場は百貨店跡地の駐車場である。

水島が一番元気だった頃の思い出が詰まっているようだ。会場に集まる人は、コロナ禍の近況や昔談義で盛り上がっている。夜が少しずつ更けていき、バーや居酒屋にも灯がともりだした。仕事帰りのお父さんも集まっている。

次に、水島商店街におけるまちづくり団体の姿を取り上げたい。

（2020／9／27）

「なんとかしないといけない」頑張る商店街

長い好景気に恵まれた水島商店街だったが、1975年頃に入ると、商店街の顧客が大型ショッピングセンターへ流れていく。その様子を見た商店街の人々は、「なんとかしないといけない」と動いた。

「景気の良い時期が終わったあとは大変でした。商店街は静かになって、近くの大型店舗のセール時にはお客さんは歩いていましたが、商店街には来てくれませんでした。わたしたちは、なんとかしないといけないと思い、1999年に水島おかみさん会を設立しました。2000年に、常盤町ふれあい春まつり、秋まつりをしたらいっぱいお客さんが来られる。それで、わたしたちは慣れてきて、平成13年に水島雛めぐり、「水島夢Ｋｏｉ・Ｋｏｉ！」を開催したりして、頑張りま

パーキングデイの展示。歴史パネルを見ると変化が分かりやすい

した。そして、おかみさんの会が疲れた頃、平成27年に商店街の若手が「いす-1グランプリ」を始めてくれましたけど、今年はコロナでしょう。色々できなくなって、イベントがお休みになっているので、もう力がなくなってきてしまって、元気を出さないといけないねえ、って思っていた頃に、パーキングデイが始まったんです」

水島商店街では、水島おかみさんの会だけではなく、ミズシマ盛りあげ隊やミズシマ・パークマネジメントLab.など若手の団体もまちづくりに参加している。活動は異なっていても、まちづくりのバトンは引き継がれているようだ。

続けて、商店街で働く魅力についてもおかみさん会にうかがってみた。まずは、薬剤師の方である。

「お店は戦後すぐに開店して、私は1970年に店を継ぎました。一番売れた時期でした。三菱の社宅はわずかとなり、飲み屋に変身していました。コンビナートができたことで、人が来る、家族が来る、食べに来る、飲みに来るで、ご飯を食べる時間がないくらいにお店はにぎやかでした。今ではインターネットで薬が買えちゃいますけど、当時の薬局には、疲れた人が『ドリンクを眠気覚ましにくれっ』って、そんな時があったんです。私のお店は今、おじいちゃんやおばあちゃんが来てくれて、年配の方の憩いの場となっています。やりがいはそこにあります。使命感と喜びで仕事をしています。人の役に立つことと、喜びは一緒だと思います」

お菓子屋のお母さんも、お菓子を買っていた子どもが大きくなり、その子どもたちが顔を出してくれるのが一番うれしいと教えてくれた。商店街のモチベーションは、地域の方が繰り返し足を運んでくれることなのだ。おかみさんの話からは、駐車場には、水島が一番元気な頃のシンボルがあったということが分かった。そして、商店街で生活する人々のつながりと地域への愛着も感じられた。おかみさん会は言う。

「みんな年寄りなのに、『ようするなあ』と思っているかもしれませんが、私たちは同志なんです。仲間がいたからできたんです。ひとりで思っていても仕方がありません。仲間がいるのが強い。話し合って、分かり合っているし、商店街の思いは本当に熱いんです。そういう人が集まって、だから、燃え尽きないぞ！って気持ちです」

話が終わった頃には19時をまわっていたが、参加者は名残惜しそうに、そのままゆっくりパーキングデイを楽しんでいた。振り返ってみれば、パーキングデイという場でなければ、商店街の気持ちをオープンにする機会もなかったかもしれない。来年度の開催が待ち遠しい。コロナでステイホームを続けてきた大学1年生は「こんなに濃密な世界が商店街にあるとは知りませんでした」と一言。もちろん、先生も知りませんでした。

（2020／9／30）

矢掛町のまちづくり

矢掛町

おもてなしの宿場町へ

岡山県小田郡矢掛町は、県南西部に位置し、江戸時代の宿場である本陣と脇本陣の双方が残る歴史豊かなまちだ。毎年11月には大名行列が開催されている。岡山大学では２０１２年から大名行列を留学生に「サムライ・トリップ」と紹介し、地域文化の体験プログラムの一環にしてきた。

２０１５年度、訪日観光客は約２０００万人に迫り、前年度に比べて5割近くも増えている。各自治体は観光客の呼び込みで地域経済の活性化を目論む。岡山大学の留学生を矢掛町へ連れて行くのは、岡山で生活する間に日本の暮らしに触れ、岡山を第二の故郷にしてもらいたいからだ。また、頑張る人々と交流することで、人口減少社会という世界最先端の課題を学び、それを母国へ持ち帰って活かしてもらうためでもある。留学生と話をすると、東京、京都、大阪などは新幹線で観光に行けるが、地元の田舎にはなかなか出かけるチャンスがないそうだ。キャンパスに閉じこもらないで岡山でたくさんの友人を作ってもらいたいと考えている。

矢掛町は、岡山市から車で約1時間の距離にあり、まちもほどよくコンパクトだ。自由散策をさせても、迷わずに集合場所に戻ってくることができる。矢掛町は２０１５年度を『観光元年』

と位置づけ、積極的な広報活動を展開し、新しく産業観光課を設置した。ハード面の整備では、町家交流館や矢掛屋（宿泊施設）がオープンし、道の駅建設構想も持ち上がっている。そのほかソフト面の活動では、コミュニティを学びの素材とする矢掛学（矢掛高等学校）、子どもが大人たちと楽しいまちを作るYKG60、まちなみ保存などコンテンツも様々だ。

秋祭りのランチタイム。集落のみなさんも交流を楽しみにしている

みこしの担ぎ手を留学生がサポート。世界の若者から元気をもらう

愛着のある地域をつくるには、教育や市民活動を通じて、住民がまちの主人公となる経験を積んでいくことだろう。マスコットキャラクター・やかっぴーも矢掛町のまちづくりに貢献している。イベントのたびにやかっぴーがやってくると、子どもたちは大はしゃぎである。

宿場町であった矢掛町の特色は、訪れる人々も一緒に地域の産業や暮らしを応援するところにある。もちろん、地

域産業の振興は容易ではない。だからこそ、中山間地域が元気になるには、まず、今ある資源を積極的に使いこなすための仲間づくりが大切になる。

（２０１６／１／25）

矢掛町大名行列・ｉｎサンフランシスコ

素晴らしきマンネリズム

２０１７年４月16日の日曜日。アメリカ・サンフランシスコで開催される「第50回北カリフォルニア桜まつり」に矢掛町の大名行列が参加する。矢掛町からは筆者も含めて40名、そして、アメリカ現地から40名が参加する一大イベントだ。

大名行列・ｉｎサンフランシスコの話を昨年７月にうかがった時に、素晴らしい企画だが、まさか本当にできるのかと率直に思った。しかし、筆者の不安はよそに、あれよあれよという間に、構想が実現に向かっていった。

そもそも大名行列は1976年、大洪水によって中心市街地が浸水した時に、まちの元気を取り戻すために町民や商店街の人々が企画した、いわゆる復興の祭りだ。矢掛商業高校のスライド作品「歴史の証人」が1970年に全国スライドコンクールに入賞した際、審査員から本陣と脇本陣、そして、文化風土を活かしたまちづくりへのアドバイスをもらったことがきっかけで、大名行列の原型が議論されていった。

祭りとしての大名行列は、矢掛町のアイデンティティーへと成長した。今では、親から子へと受け継がれ、そして、世界へ進出している。毎年続けることで、大名行列は、矢掛町まちづくりの心意気になっていった。大名行列実行委員長である佐伯健次郎は、大名行列のコンセプトを次のように語る。

「やっぱり古いものはあまり変えずに。私はよく、『素晴らしきマンネリズム』という言い方をさせてもらうんですけど、マンネリでもいいじゃないかと。新しいばっかりで奇をてらうようなことをするよりは、宿場祭りの中の大名行列だけは第1回と変わらないように、参勤交代の歴史にできるだけ忠実にやろうと。周りは鉄砲隊とかミニSLとか、希望があれば大江戸玉すだれとか、そういうのはどんどん取り入れていくけど、本体の大名行列はあんまり変えずにやろうと」

マンネリズムであっても、矢掛町はそこにアクセントを加えていく。異質なものを受け入れてこそ、イノベーションが起きる。大名行列ｉｎサンフランシスコは、唯一無二のことであり、矢掛町だけではなく、岡山、日本全国で地域活性化に取り組む人たちに驚きを与えるはずだ。

筆者は、カリフォルニア大学で研究員をしていた頃、2010年桜まつりのよさこい踊りにスタッフとして参加したことがある。ジャパンタウンの皆さんには、右も左も分からぬ生活の中で、温かい言葉をかけてもらい、研究と生活の双方で応援をいただいた。そして、海外で生きることの楽しさと大変さを教えてもらったジャパンタウンは筆者にとって大切な故郷なのだ。そのような経緯もあり、現地の事情をよく知っているならばと、大名行列inサンフランシスコの現地ボランティア担当に抜擢されてしまった。おかげで毎日、本当に人が集まるのかとひやひやしながら過ごしたものだ。

今、岡山で暮らし、矢掛町と関わりながら、サンフランシスコのまちづくりにもお世話になったことに、不思議でもあり、縁というのであれば、それを全うすることに幸せを感じている。飛

佐伯さんが作った映画風ポスター

行機に乗って、サンフランシスコを歩いて、また戻って来るという強行軍だが、江戸時代もさぞ忙しい旅であったのだろうと思いながら、大名行列の成功を楽しみにしている。

（２０１７／４／12）

サムライセブンからイレブンへ

「したーにー、したに。したーにー、したに」

約80名からなる矢掛町大名行列が、ジャパンタウンに近づくと、両脇筋から歓声があがり、大きく手が振られた。矢掛町内と異なるのは、パレードの音楽が響き渡り、こどもからお年寄りまで様々な人種の人がいることだ。２０１７年4月15日、午後1時の出発から生憎の強い雨。しかし、次第に雨も収まり、視界に余裕が生まれると、興味深そうに両脇から眺められているのが分かった。矢掛の大名行列がアメリカを歩いている。1時間ほどの行列だが、一生に二度はない経験を終えてみると、不思議な高揚感に包まれていた。矢掛町を含めたパレード参加者は全体で約４５０名。観客も５０００名を数えたそうである。

日本に帰国してから、今回のことを振り返った。まず、この大名行列は、地方創生の時代だからこそ実現できたといえる。最大の障害であった資金を国や県、町、そして地元企業・有志から約1000万円集められた点は大きかった。そして、サムライセブンと呼ばれる実行委員会が、あれよあれよと参加者と段取りを進めていった。それだけでは人手が足らなくなると、サムライイレブンに応援団を拡大して、1年をかけずに実施まで漕ぎ付けた。現地ボランティア募集担当となった筆者は、イレブンのほうに属する。何より、民間主導で続けられてきた大名行列が、町長や行政を巻き込んで、オール矢掛の態勢を整えたのは見事であった。「よし、一歩踏み出そうか」という雰囲気が矢掛町にはあるのだ。

今回、大名行列自身も新しい一歩を踏み出した。人がまちを歩くことは、まちと一緒に歩むことだ。知らぬ間に人同士のつながりも濃くなっているのが、今一度確認できた。最年少の参加者は、矢掛の高校2年生であった。高校1年生の時に、大名行列に初参加し、2回目をサンフランシスコで経験したというのだからすごい。一方、アメリカ現地においても、矢掛町の大名行列を見て感激した人が、飛び入りで参加してくれた。カリフォルニア州立大学モントレーベイ校の学生10名が応援に駆けつけてくれたのだ。その女子学生の一人は、今年の10月に岡山大学に留学が決まり、矢掛での大名行列にも参加する予定だ。

佐伯実行委員長は「誰一人欠けてもできなかった」と言う。矢掛とサンフランシスコを跨いだサムライたちの奮闘が、今回の醍醐味なのだ。サムライセブンの一人で、商店街でぼっこう堂というおせんべい屋を営む堀伸士さんに感想をうかがった。

「思っていた以上にうまいことといった。それまでクリアできるのかという心配があったが、みんなが決断していく過程がうれしかった。1時間ほどの行列に対して準備のほうが圧倒的に長かった。サムライセブンは、ひとまずフィニッシュだが、帰ったら、違う形で大名行列を大事にしていきたい。参加してきてくれた人が、また何かのときに固まってくれないかなあと思っている。あれができたら何でもできるんじゃないかな。周りの見る目が変わってきて、大名行列は、田舎を歩いているだけではなくて、大名行列は矢掛自身のものだという気持ちにもなる。なんともいえないオリジナリティーをにじませるような町になればいい」

大名行列は、また歩き出す。

（2017／5／8）

大名行列参加者の集合写真。達成感が溢れる

ジャパンタウンで毛槍を投げると歓声が上がる

共助のつながりの必要性を実感

浸水の矢掛で学生とボランティア活動

岡山県は災害の少ないまちだ。筆者も含めて多くの人はそのように考えている。しかし、甚大な被害を起こした2018年7月6日の西日本豪雨を目の当たりにし、復興支援や防災、自然との向き合い方を根本的に見直す必要があると感じた。そして何より、一日でも早く救済と日常への回復を推し進めなければならない。

7月14日、岡山大学の教員と学生有志の計24名で矢掛町中川地区の支援ボランティアに参加した。その日は、学生たちと江良地区の歴史調査や移住者へのヒアリングを予定していたが、切迫した状況の中で、集落の要請と学生たちの意思も受けて、できる範囲でボランティアをした。筆者も学生たちも復興ボランティアは初めての経験だった。復旧や災害の情報は刻々と変化する。小田川が決壊したとき、水が引き始めてから被災状況が明らかになったそうだ。生活インフラが閉ざされた空間では、誤った情報が流れる危険性もあり、とかく情報の把握が難しい。

岡山大学での災害ボランティア研修会では、日射病や体調に注意すること、自分たちがやりたい活動をするのではなく、現地で必要としていることに専念すること、ボランティアセンターに登録し保険に入ること、そして、地域の邪魔にならぬよう健康第一で気を引き締めるようにと指示があった。筆者も、矢掛町災害ボランティアセンターや集落と連絡を取りながら、手袋、マスク、ゴミ袋、飲料水、飴玉、雑巾、帽子、着替えを準備した。

大学からバスに乗って1時間で中川地区の公民館と保育園に到着した。留学生とのお茶体験、凧作り、落語会を楽しんだことがある思い出深い場所だ。その場所が浸水で大きな被害を受け、すべてが泥まみれになっていた。ただただ、失われたものの大きさを痛感した。到着後、学生は、三つのチームに分かれた。筆者は男子学生と共に、浸水した家屋に向かった。

中川地区は、豪雨で氾濫した小田川に面している。地区を歩き始めて、やっと被害が見えてくる。決壊した堤防、集められたゴミ、清掃中の店舗、泥をかぶった道、曲がった木々。猛暑の中で独特のにおいも漂っている。荷物を積んだ軽トラックが何台も走っていき、黙々とみんなが働いている。36度を超えているのだろうか、外にいるだけでも、大粒の汗が垂れてくる。

家屋に到着し、家財道具を外に出す作業を始めた。納屋の中は、泥水をかぶった品々であふれている。重く、壊れやすく、運ぶと水が飛び散り、やはり、においが溜まっている。畳は既に出し終わっているが、家財のなくなった家を見てみると、言葉を失ってしまう。家族で使ってきた大事な品々、タンス、服、壺、食器、机を手早く外に出す。とにかく人手が必要なのだ。声をかけながら、一区画が終わると水分を取り、また仕事を始めていく。途方もない作業だ。でも進めていかなければならない。

「本当にお疲れ様です。助かります。ここまで水が上がってきたんです」と言われて見てみると、その跡がしっかり残されているのが確認できた。また、他の人は「浸水時は、電気がついているけど、おじいちゃんやおばあちゃんがどこにいるのか分からなかった。実際には避難ができているのが後から分かりました」と教えてくれた。

ボランティアの様子を見てみると、食器や家財を乾かしたり、スコップで泥をまとめたり、石灰をまいたりしていた。実際に被災地でどのような仕事が行われているのか、現地に行って初めて分かることがほとんどだった。いつもの風景。見慣れた風景。それが一変する姿を見て事の大きさを知る。その中で、知っている人に出会うと、なんとか勇気も出していける。今、日本全国から多くの人が集まり、復旧に全力を尽くしてくれている。中川地区では、地域の人、各地から集まったボランティア、「YKG（学生たちが矢掛町のまちづくりを応援する団体）」、そして、「輝け！江良元気会」のみなさんが必死に頑張っている。地域のつながりこそが復興の力なのだ。

インフラなどのハード面を整備しながらも、人と人が声を掛け合い、助け合うつながりが災害復興には欠かせない。私たちにできることはたくさんあり、被災した地域では支援の手を求められている。岡山は新しい局面として、復興のまちづくりに向き合っている。

被災した中川保育園

決壊した小田川

水害の後、大量のゴミが山積みになる

被災住宅で泥をかきだす学生たち

泥水に浸かった日用品を天日干しにする

10年間の交流で世界中に矢掛町のファンが増えたはずだ

■矢掛町中川地区江良集落と岡山大学の交流

矢掛町江良集落では２０１２年から、岡山大学の留学生と田植え、稲刈り、祭り、ホームステイなど年間を通じた交流を続けている。交流がきっかけとなり、２０１５年には60年ぶりのおみこしが復活した。江良谷公園を拠点とした小さな交流は、矢掛町と大学のつながりを生み出し、学生たちも田舎の暮らしに触れるのも楽しみにしている。岡山大学が文部科学省留学生拠点整備事業（２０１２～２０１５）に申請した後、江良集落は岡山県備中県民局協働事業を経て、２０１８年３月「おかやま元気！集落」に登録した。

筆者は、岡山大学L-café（留学生交流）の藤本真澄先生とプログラム作成に関わっている。

（２０１８／７／15）

中川地区江良集落で秘密基地づくり　子どもたちに地元住民が協力

子どもたちは江良集落の伽藍山（がらんやま）に登り、みんなで作った大きな旗を掲げた。旗を見た集落の人は、のろしを上げ、合図を送った。元気いっぱいの子どもたちは、１泊２日のミッションを見事にこなしたのだ。

「世界一の田舎づくり」を掲げる江良集落。筆者は２０１８年11月23日、24日に行われた「秘密基地生活という名の子ども社会づくり研修」にお邪魔した。秘密基地と聞くと、ワクワクした気持ちになる。読者の方には、かつて公園や空き地に秘密基地や隠れ場所を持っていた方も多いのではないだろうか。現在も秘密基地と言わないまでも、隠れ場所を確保している人もいるかもしれないが。

ともあれ、今回の秘密基地は規模も内容も格段に違うものだった。わらを集めて家をつくり、ドラム缶で風呂に入り、子どもたちが旗をつくり、基地からのろしを上げる。子どもは20名、大人も含めると50名近くがこの活動に参加した。わらの家に入ってみると、意外なほどふかふかで居心地がいい。子どもたちは布団を置いたり、ライトを照らしたりと大はしゃぎだ。子どもたちは色々な個性を持っており、筆者に話しかけてくれた。「なにかお手伝いすることはありますか?」「ねえねえ、一緒に網を探してくれない?」「家を作るのが楽しかった。寝るのが楽しかった」など。また、「竹は強いから引っ張っても大丈夫」「この歌は知っとるん?」「西方院の前の寺は大光院」など、知らないことも教えてくれた。

走って、言い合って、ものを投げて、子どもは遊びの天才だ。あるお母さんは、「ほんま、すげーな。こいつら野生児じゃけえ、なんでも遊びにしとらぁ」との感想。子どもたちと過ごした秘密基地生活は、あっという間に過ぎていった。

ひとり忘れられない子どもがいる。ずっと火の番をしてくれた7歳ぐらいの子である。火の焚き方も風の送り方もうまいので、バーベキューが好きで手慣れているのかと思ったら、水害のため避難生活を続けており、そこで火の焚き方を知ったそうだ。1階は水に浸かったが、ネコは2階に逃げて助かって良かったと話してくれた。火に向きあうときは真剣かつ大人びた印象を受けたが、笑顔のかわいい子であった。子どもには様々な生活があり、秘密基地ではその一部がかいま見えた。

この秘密基地生活のコンセプトについて、企画者の那須啓文さん(Fukiya Design.)は、次のように語ってくれた。

「子どもたちは、この集団の中に、自分自身の個性や持ち味を提供する。考えながらリアルな社会を作っていく。子どもたちはそれぞれに適材適所があり、秘密基地生活ができていく。サバイバルというと言いすぎるけど、地域の人に相談しながら、自分の力で過ごすための力を貸してくださいとお願いする。土地の力を活かした活動を目指しています」

個性を輝かせ、チームワークを養っていくことが、秘密基地生活の目的だ。多くの準備を必要としたが、小さな江良集落が実施の手を挙げ、やり通したことに、まちづくりの底力を感じた。最後に30時間をフル参加したフランス人留学生の感想である。

「子どもたちはめっちゃ元気。今日は言うことを聞いてくれたけど、慣れてきたら聞いてくれな

完成したわらの家を前に記念撮影

子どもは元気いっぱい

伽藍山から集落を見下ろす

いかもね」

言い得て妙。子どもたちも、童心にかえった大人たちも、本当にお疲れさまでした。

（2018／11／28）

豪雨災害から復旧した保育園　中川地区住民と餅つき大会

昨年7月の西日本豪雨で水害に見舞われた中川地区。小田川の氾濫によって建物に土砂が入ったが、地域の人やボランティアの懸命な作業によって復旧が進んだ。そして2月18日、中川保育園が7カ月ぶりに再開した。23日にはまちづくり団体「輝け！江良元気会」による餅つき大会が開催され、園児やその家族でにぎわっていた。筆者も災害ボランティアに参加した時は、マスクを着け、石灰をまき、スコップで土砂をすくったが、独特のにおいを今も忘れられない。しかし、訪れた日は全く異なっていた。

園児たちはジャングルジム、すべり台、鉄棒などを楽しみ、所狭しと駆け回っている。続いて、ぺったん、ぺったん餅をつき始めると、珍しそうに見物し、餅をついた後は、一生懸命に丸めて

留学生の餅つきを見つめる園児ら

ご当地キャラの「やかっぴー」もやってきた。園児は大興奮！

７カ月ぶりに戻る園児を歓迎する

餅を上手にまるめる園児

いる。意外と言っては失礼だが、上手に形を作っている。日々、砂場で練習をしているのかもしれない。園児の笑顔を見るとほっとした。やはり保育園には、子どもたちの元気な声がなければならない。保育園の再開について園児に聞いてみた。

「保育園ができてうれしい。けいどろとドッジボールをした。マラソンもした。楽しみに待ってた。近くていい」

　中川保育園が再開するまで、園児は近隣の矢掛保育園と小田保育園に分かれて通っていたそうだ。それぞれの園で友達もできるが、家族にとっても、子どもたちにとっても、自分が暮らしている場所が一番だ。「近くていい」は、時間や距離もそうだが、安心感でもあるのだろう。園長にも気持ちをうかがった。

「災害の時から、地区の方、ボランティアの方に支えてもらいました。今日も地区の人が来てくれて、ありがたく思っています。水害の時、水が引いて初めて園に入ると、中のものが散乱していまして、その時は言葉になりませんでした。しかし、みんなの力できれいにしてもらって、開園の時を心待ちにしていました。みんなで頑張ってきたので18日の再スタートは嬉しかったです」

笑顔で門をくぐる園児たちに先生方が「おはようございます。おかえりなさい」と声をかけると、園児たちは「ただいま！」と元気に答えたそうだ。園長は「帰ってくるのを楽しみに待っていたようです。みんなが協力し合って感謝の気持ちを忘れずに仲良く過ごしてもらいたいと思っています」と嬉しそうだ。保育園に入ると、張り替えられた床などから新しい建物の香りが漂っていた。水害から早7カ月。これからは、子どもたちの成長を見つめていきたいと思った。

さて、餅つきの方である。岡山大学からケニアやイエメンの留学生も参加し、おいしくぜんざいをいただいた。園児は留学生におんぶやだっこ、肩車のお願いをし、いつの間にか仲良くなっていた。さて、どうやって意思疎通をしているのか、園児からその極意を教わりたいものだ。

（2019／2／26）

景観はまちに住む人の心を表している。ゴミが多いまちでは、あいさつが少なく、治安も悪くなりがちだ。花が多いまちは、住民が自然を愛し、子どもが育てやすい環境づくりも進む。景観は一人によって作られるものではなく、人々の生活や暮らしの集合体と考えるべきだ。

重伝建地区への挑戦

ハードとソフトのまちづくりを

矢掛町は、文化庁の重要伝統的建造物群保存地区（いわゆる重伝建）登録に向けて動いている。伝統的建造物群とは、文化財保護法によると、周囲の環境と一体をなして歴史的風致を形成している伝統的な建造物群で、価値の高いものとある。家屋、寺社、石垣、石碑、庭園、水路といったまちの資産を維持し、後世につなげる活動で、岡山県には倉敷市倉敷川畔、高梁市吹屋、津山市城東などの事例がある。矢掛町は、江戸時代の参勤交代で利用された本陣や脇本陣などが残る宿場町であり、昭和前期までに建てられた建造物が多く残されている。町は重伝建の登録のため、3月に住民、有識者、行政からなる検討委員会を設置し、4月には保存審議会を設置した。これから住民説明会を繰り返す予定だ。

矢掛町はここ数年でまちの雰囲気が大きく変わってきた。矢掛町は、国や県と連携してインフラ整備を進めている。道の駅構想、商店街の無電柱化、そして、重伝建の認可は、まちづくりの三本柱に位置付けられている。中心市街地の変化として、住民は観光客の増加を肌で感じている。景観を維持するためにも対策が必要だ。矢掛町は、１９６９年に本陣と脇本陣が国の重要文化財の指定を受け、１９９３年に岡山県町並み保存地区に指定されるなど、街並み整備への努力を重ねてきた。紆余曲折はあったものの、重伝建への登録は町の悲願と言っても過言ではない。

筆者は留学生と一緒に矢掛町をしばしば訪れているが、彼らは興味深いことを言う。「日本のほとんどは東京ではなく、田舎の方が多い」「京都は外国人ばかりで驚いた」など、おおむね都会とは違った田舎の風景に興味を持っている。地域の人々と交流した留学生は「里心を感じました」と述べていた。留学生は、自分の故郷を懐かしく思うとともに、地域を大切にする集落の姿に共感していた。

3月28日、町役場で開催された重伝建の委員会に参加させてもらい、保存地区の現状、範囲、条例の制定、その影響について様々な議論をした。重伝建登録のメリットは、建物の修理、補強、防災機能の向上などに補助金や技術指導を受けられることだ。一方、デメリットとしては、ビルやマンションなど大きな建物の建設に規制がかかったり、家の前に新しく駐車場が設置できなくなったりすることなどがある。現段階では中心市街地に大きな影響を与えないようだが、難儀なことといえば、住民には重伝建登録後のまちの様子をイメージしづらく、将来への不安も感じられるようだ。委員会では、専門家から重伝建に対する考え方が述べられた。

「伝統的建築に関する条例は、基本的にはまちの約束を守りましょうというのがスタートなんです。商店街の住んでいる人が町や行政を信頼していくこと。同じように、商店街に住んでいる人から行政も信用されるように努力すること、そのような関係が築かなければならないのです」

また、重伝建を目指す住民からもエールが送られた。

おしゃれなお店も増え、まちの雰囲気も変わってきた

家と家の間が空き地になっている。歯抜と呼ばれる現象だ（右の手前から2番目）

「町外の方から高い評価をいただけるようになってきました。矢掛の宝、地域の宝を残していきましょう！」

これからさらに住民と行政との間で密な意見交換が大切になる。成功の鍵は、後世の誇りとなる街並みをワクワク、ドキドキ感を持って創っていくことだ。矢掛町の強みは、やはりソフトの力。まちで暮らす人が、住みやすいまちをみんなで考え、歩んでいくことだ。矢掛町の大きな挑戦は、一歩一歩前進していく。

（2019／4／30）

（注）2020年12月23日、矢掛町矢掛宿は重伝建に選定された。

留学生にお米を届けよう

江良集落の支援の輪

2020年6月14日、中川公民館で、岡山大学の留学生に贈るお米の袋詰め作業が行われた。参加した中学生に話をしてみると、小学生の時、岡山大学の留学生がホームステイに来たことがあるそうだ。

人口約500人の中川地区江良集落。2012年から岡山大学留学生とともに、田植え、秋祭り、稲刈り、ピクニック、そして、ホームステイと、年間を通じた交流を続けてきた。留学生は、田舎のおもてなしを受ける一方で、集落の子どもたちは外国人と接することができる。留学生は、田舎の豊かさに触れ、矢掛町の魅力を世界に発信する。観光化されていない田舎の日常は、学生たちにとって新鮮だ。凧揚げ、餅つき、寺社仏閣、食べ物など集落にとっては日常と思えるものが、留学生にとっては一生の宝物だ。砂漠の多いアメリカのアリゾナ州からやってきた留学生は、集落の魅力について「緑が美しい。人が優しい」と言っていた。

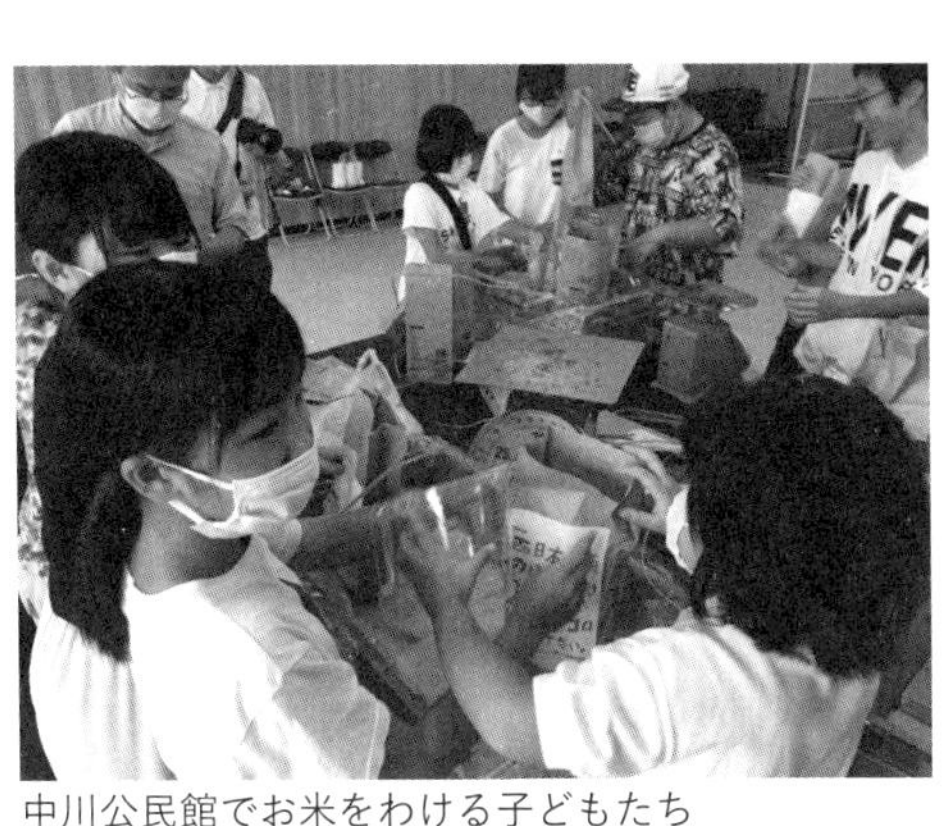
中川公民館でお米をわける子どもたち

「輝け！江良元気会」から岡山大学留学生にお米を寄贈したいと連絡があったのは、5月29日の夕方だ。集落では、コロナ禍で学生が生活に困窮しているというニュースを見て、彼らの生活を心配していたのだ。「先生、矢掛でお米を200キロ届けるからよう、一緒に準備しようや！」と電話を受け、翌週、岡山大学も全面的に応援することが決まった。6月16日、留学生に2キロずつの配布が決まり、矢掛町では支援の輪がみるみる広がっていった。元気会会長の坪井優さんは言う。「何か出来たらいいなあと相談していたので、それならお米でしょうと。お米は私たちが作っているので、お金じゃないんです。作ったものですから、ぜひどうぞという気持ちです。知り合いの留学生に声をかけると、今食べるものがないんだと連絡がありました。江良集落だけではなく、岡山大学と交流のあった羽無(はなし)集落、下高末(しもこうずえ)集落、山ノ上(やまのうえ)集落も応援してくれています。岡大ＯＢもお米を送ってくれました。子どもたちは一合ずつ家からお米を持ち寄ってきてくれました。30キロは去年留学生が植えたお米です。善意というか、気持ちですよね」

後日、坪井さんから、「先生、うれしい悲鳴なんですが、当初の予定は２００キロだったんですが、７００キロを軽く超えちゃいました」と連絡があった。その後、お米の量はさらに増え、なんと1トンになった。日曜日の仕分け作業には、子どもたちが12名、大人が10名、応援に駆けつけてくれた。作業を行った中川公民館は、西日本豪雨で大きな被害を受けた施設だ。その施設も今は明るい声が響き渡っている。子どもたちの声を聞くと、力が湧いてくる。

今回のお米の寄贈は、復興ボランティアに駆けつけてくれた学生たちへのお礼の意味も持ち合わせているそうだ。お世話になってきたのは、岡山大学の私たちの方だ。若者は元気をもらい、元気をお返しして、楽しい交流が続いている。一番の宝物は、集落と留学生との間に培われた絆そのものであろう。

（２０２０／６／15）

「とてもハッピー」学生たちから感謝の声

６月16日、１トンのお米が岡山大学の留学生に届けられた。「輝け！江良元気会」が、コロナ禍で生活苦に陥っている学生たちのために集めたお米だ。当初の目標の２００キロは、矢掛町のみなさんのお気持ちで5倍に膨れ上がった。応援の気持ちをお米で表した元気会の活動に心が温かくなる。地域に愛されている留学生は幸せだ。６月16日に１３０名、19日に50名、24日には20名の学生がお米を取りに来た。家族連れの留学生には人数分を渡し、生活困窮の度合いに応じて量を調整した。歯学部博士課程に在籍するインド出身のカビタさんに話をうかがった。

「矢掛町のお米はとても助かりました。私は昨年10月に博士課程に岡山にやってきましたが、コロナの問題が起きました。中国、インドネシア、ベトナム、バングラデシュの学生は多いんですが、意外とインドの学生は少ないんです。コロナで日本人学生も大変なのはよく分かっているんですが、留学生は言語の問題があり、生活に慣れるのも非常に厳しいです」

留学生は特に生活費で苦労が多いようだ。

「大学での研究は忙しく、ストレスになることもあります。生活の苦しい留学生はアルバイトもしていますが、コロナの影響でアルバイトができない学生が増えてきました。コロナの生活が４

カ月も続くと、家賃の支払いや生活費が重くのしかかってきます。お金の問題は深刻です。母国のインドも大変です。勉学を応援する夫はロックダウンのため3月から町を出ることもできません。飛行機が飛んでいないため、帰ることもできません。日本に残ることはできますが、お金がありません。仕事を探しても本当に見つからないんです」

コロナ禍で筆者も学生たちと接する機会は大幅に減った。そのため、学生たちの個別の状況を把握することは非常に難しい。

「矢掛ライスのおかげで、とてもハッピーな気持ちになりました。インド人の私は、昼も夜もお米を食べるので、毎月15キロは食べます。日本人より沢山食べるんですよ。インドにいた頃は、家族で30キロ食べていました。矢掛ライスはおにぎりにもなり、とても助かるんです。スーパーで安いお米を探して生活費を節約していたので、今回の支援で、お米代を他の生活費に回すことができました。なにより、矢掛ライスはおいしいです。だから、本当にありがたいです」

矢掛町はお米とフルーツがおいしく、古い町並みが残る温かいまちだと伝えたところ、カビタさんは、いつか感謝の気持ちを伝えに行きたいとのことだったので、集落のホームステイをおすすめした。矢掛ライスは、生活支援になるだけではなく、学生と地域をつなげてくれた。「今週の土日は矢掛町に行くんですか？　来週ですか？」と聞かれ、「今週じゃないけど、近いうちにみんなで行きましょう」と答えた。現地で矢掛ライスを使った料理を集落のみなさんと一緒にいただければいいなと思った。

（2020／6／25）

応援米を受け取る留学生

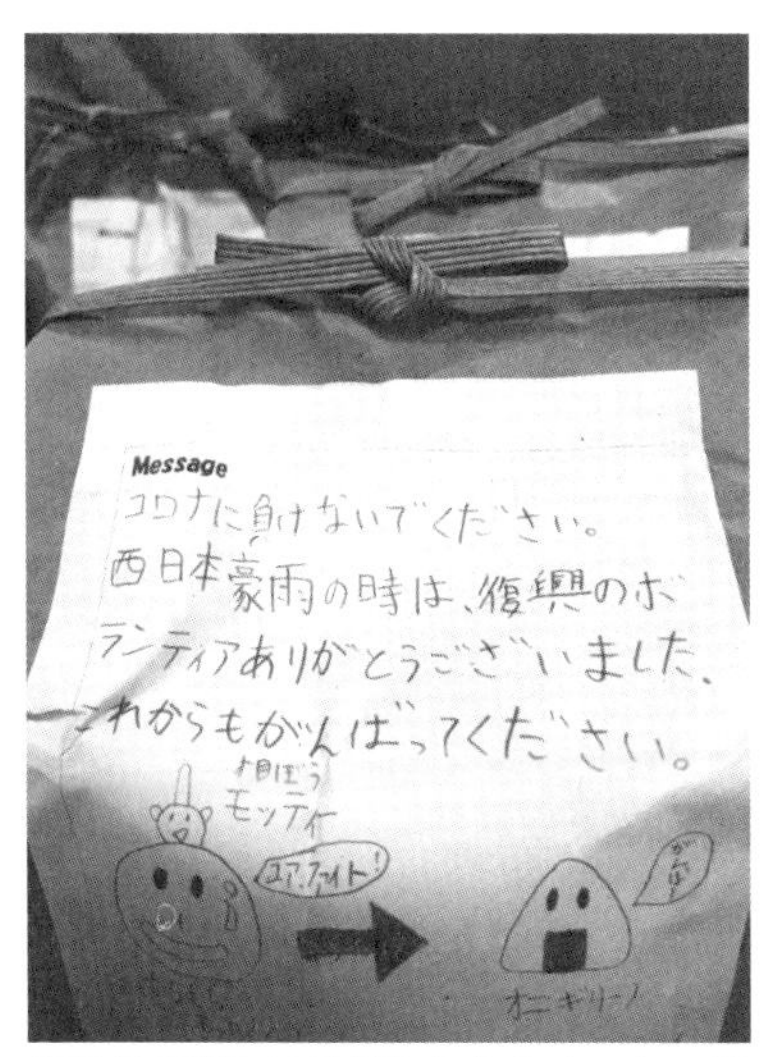

応援米の袋には子どもたちのメッセージ

岡山県のまちづくり

和気町の地方創生　教育のまちづくり

地方創生への挑戦

「独自性とスピード感で政策を実行していきたい。3倍、4倍の勢いで」

2016年1月8日、「和気町・まち・ひと・しごと創生有識者会議」で、町総合政策監の小西哲史さんはそう強調した。地方創生や一億総活躍社会が叫ばれる中、地方自治体は、限りある財源を活かし、まちづくりの知恵比べを始めている。

和気町は、県南東部に位置し、和気清麻呂の生誕地であり、藤の花でも有名な町だ。他の地方自治体と同じく、財政難や少子高齢化など厳しい行政運営の課題に直面しているが、近年、ヤクルト工場の誘致、市民協働事業の公募、移住者獲得政策などに力を入れ、とりわけ、地方創生の総合戦略については、矢継ぎ早に政策を打ち出している。

和気町の強みは、小さいまちだからこそできる丁寧で小回りの利いた取り組みができることだ。多くの場合、地方創生の総合戦略は、行政が作成し、有識者が委員となってお墨付きを与えるものが多い。しかし、和気町では、地方創生の総合戦略に関して産官学と金融機関の代表が作成過程で発言し、深く参画しているのが特徴だ。

また、町民アンケートを行ったことで、書店や喫茶店などのニーズが分かり、町内への誘致が検討された。行政はそれらの業種に対しては上限150万円（通常業種は上限50万円）の起業支援補助金を提供する逆指名制度を始めた。また、定住促進に関しては、町営住宅ではなく、賃貸共同住宅を建設するオーナーに町独自の助成金制度を設けることにした。

目玉政策は、英語特区、公営塾、放課後学習支援の充実を柱とした「教育の町『和気』」構想だ。英語特区では、小・中学校で学習指導要領を超えた独自のカリキュラムによる英語授業を導入できる。英語特区は岡山県内でも倉敷市、総社市、新見市にあるが、和気町では、これらの特区との違いを明白にしたいとして、地元小中高と連携し、ベネッセ出身の地域おこし企業人やＩＣＵ（国際基督教大学）からの地域おこし協力隊を講師に採用している。1月にプレオープンし、4月から正式開校する駅前の公営塾では、地域おこし協力隊や大学生が講師となり、英検対策やオンライン授業を提供する。

和気町が教育のまちづくりに力を入れたのは、都市部に負けない教育や暮らしやすさがあってこそ、地方は移住者の選択肢にもなり、住民も安心して生活ができると考えるからだ。和気町は、英語学習によって子どもたちの地域離れが進むとは考えていない。有識者会議でも述べられたが、語学はグローバル化の手段であり、地域で暮らす中で語学が自然と役に立てば良い。だれもが学びを楽しめる環境の整備のために英語特区は始まった。電車に30分乗って岡山市の塾に通わなくてもよいのである。和気町は、地域の連携を強化することで人材育成を重視した教育のまちづくりへと大きく前進したのだ。

（2016／1／13）

5年間の取り組みを振り返る

和気町では、1980年に1万9088人、2015年に1万4412人の人口は、2045年には、8537人まで減少するとされている。30年で人口が約41％も減少する状況をなんとか押し留めたいと始まったのが、和気町の教育支援政策である。行政は、様々な手を打った。「ENTER WAKE」という駅前の施設を整備し、英検対策や留学生との英会話を行う公営塾を運営した。また、県立和気閑谷高校も、地域探求型学習に力を入れ、高校の魅力化に努めた。その他、高校卒業までの医療費や幼稚園使用料を無料にするなど子育て世帯の経済的負担も減らした。和気町が矢継ぎ早の施策を打ち出せたのは、町民アンケートを上手に活用して、町民のニーズに丁寧に対応したからである。和気町の特色は、町民の声で地方創生戦略を支える仕組みを作ったことだ。和気町役場の方は次のように教えてくれた。

「教育のまちのきっかけは、町民アンケートです。住民の方に聞いてみると、住むところを決めるのは、教育の質だそうです。そこから始まって、子育て世代の支援、移住や定住を推進しました。移住者は、２０１５年28人、２０１６年80人、２０１７年１２０人、２０１８年１１３人と毎年増加しています。当初の目標値は50人でしたが、２０１８年に目標値を１４０人に改定しました」

移住者の増加には驚いた。和気町は移住や定住を考える人に人気が高いようだ。

「観光振興はまだまだこれからですが、教育のまちづくりは効果があったと言えます。移住を決める要因は複数であることも分かってきました。教育や経済的な支援があり、住む所も充実していること、先輩や仲間のコミュニティがあること、移住推進員が親身であること。短期滞在費補助金やお試し住宅も大切です。移住者はそういう複数要因で考えているので、いろんな施策を打ったのがよかったですね。住宅メーカーは賃貸住宅を建てることについて和気町を蚊帳の外に置いていましたが、移住の希望者も多いことから新しく建ててもらいました」

「住んでみると、そんなに不便なまちでもありません。駅もあって、岡山市にあるおしゃれな店には電車や車でも行けます。空気も良く、自然も近いです。田舎暮らしをしたい方にとっては、初心者向けのようなまちなんでしょうね。移住のハードルは高くなく、子どもをのびのび育てたい人、原発や震災が心配な人に選ばれやすかったのかもしれません」

移住・定住の社会増減（住民の転入数・転出数の差）はプラスに転じ、一定の政策の効果はあったといえる。しかし、人口減少は、そのスピードよりも速く進んでいる。出生率を向上させるのは容易ではないそうだ。

「和気町の合計特殊出生率が良くありません。2015年と2017年は、1・18％です（全国平均1・44％）。社会増減が改善されれば、自然動態にも影響を与えるはずなのですが、それでも厳しいです。何とかしたいのですが、自治体でどこまで対応できるか頭を抱えているところです。それでも教育のまちづくりで、ダブルパンチで減っていた社会増減が持ちこたえたのは評価されてもいいのかもしれません」

人口減少対策を盛り込んだ地方創生。行政が何も手を打たなければ、より早く人口が減っていただろう。そのような中、和気町では、地域活性化に対する住民の役割が高まっている。

たとえば、民間によるドローンの実験的な活用だ。買い物難民の支援や医薬品の配送、遭難者の発見、公共インフラ施設の点検など、中山間地域の課題解決に大きく貢献している。

次に、和気町産品のブランド化だ。特産品のぶどうや桃を使ったゼリーのパッケージデザインをおしゃれにしたり、リンゴのシードル（リンゴ酒）や干しぶどうも若者向けに洗練された。和気商工会も地域と協働してこの取り組みを応援している。

最後に、２０１５年に作成された「和気町ええとこマップ」を紹介したい。前述の町民アンケートから生まれた、「地元の人だけが知っている『ちょっとええとこ』（おかやま和気商工会ＨＰより）」がたくさん詰まったマップだ。

「上下水道が整備されて川の水がきれいになってなー　ホタルがよう見れるんよー」

「休みは子どもと一緒に片鉄ロマン街道をサイクリングするのが楽しみなんよ。季節ごとに景色が違ってええよ」

ENTER WAKEは、公営塾だけではなく、キッチンや観光案内所も併せ持つ、多目的スペースだ

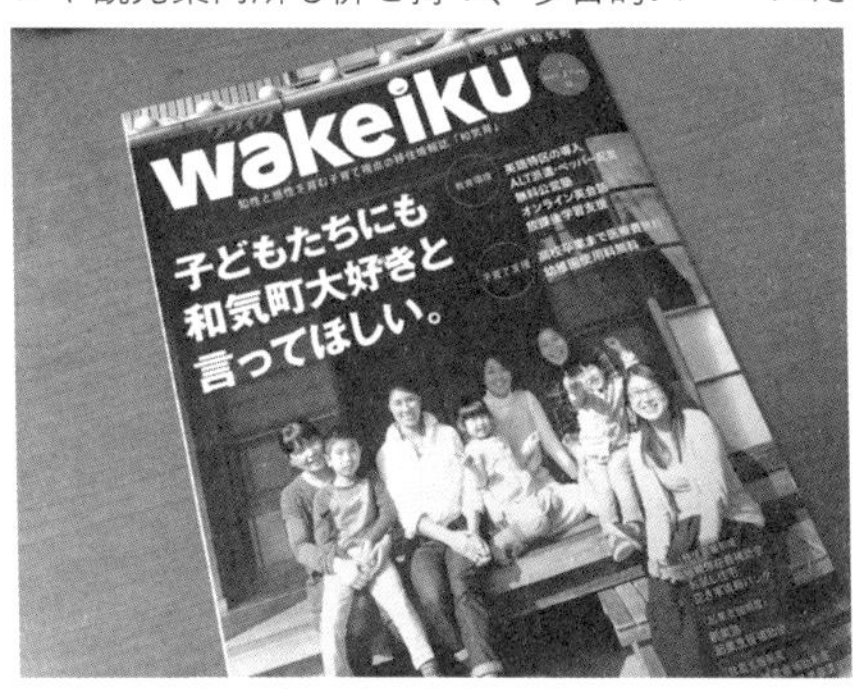

子育て世帯目線の移住情報誌「ワケイク」。読み手を意識して分かりやすい

住民目線から和気町の魅力をPR

「幼稚園は18時まで預かってくれるし、18歳まで医療費は無料！　自然も多くて子育てにはいい環境ですよ〜」

「和気といやあなんといっても和気富士じゃー。昔は松茸がよくとれたんじゃ。『鷲の巣』にも行ったことがあるんじゃぞ」

表紙には、かわいらしいイラストとともに、町民目線ならではのまちの自慢がたくさん載っている。中のマップは温かみのある手描きで、観光ガイドブックとはまた違った良さに溢れている。

この5年間、地方創生に取り組んできた和気町のまちづくりは、従来の行政主導型から、住民の個性をより尊重するスタイルへ変化してきた。そこでは、危機意識といったマイナスのイメージは少なく、自分たちのまちをより住みやすい場所にしていきたいという、住民の前向きな意欲が感じられる。和気町の挑戦はまだ終わっていない。これから次の一歩を踏み出そうとするまちの今後に引き続き注目したい。

（2020／3／25）

「おかやま元気！集落応援団」の取り組み

都市と農村の連携が地域を変える

岡山県中山間地域の人々は、たくましく、元気だ。少子高齢化や限界集落など下を向いてしまいそうな話題もあるが、まちづくりを頑張る人が一人いるだけでも、その集落に明るさが戻ってくる。

NPO法人まちづくり推進機構の理事であり、岡山県中山間地域協働支援センター長でもある徳田恭子さんは、中山間地域のまちづくりを支援している。今回は、県の事業である「おかやま元気！集落応援団」の活動についてうかがった。

集落機能の強化に取り組む「おかやま元気！集落」は県内に73地域ある（2021年9月時点）。やる気のある集落が自ら手を上げて、市町村の了承を得て、県が登録する制度だ。登録されれば、県と市町村が3年間で毎年75万円の財政支援をし、委託を受けた中山間地域協働支援センターが、まちおこしのコーディネートをする。行政よりもきめ細かいサポートができるのがNPOの強みだ。センターでは、祭りや地域行事の手伝い、集落のPR、特産品開発と販売、企業とのマッチング、人材育成、講演会、集落アドバイザー養成などの支援を続けている。さらに、県内の企業約100社も応援団として登録し、集落の特産品を購入し、必要な器具の貸し出しも行う。徳田さんは、「どんどん手を上げてほしい。元気な集落をつくりたい」と力を込めた。募集リーフレットの一文からは、中山間支援に込められた思いが伝わってくる。

「ふるさとは、最初から人が少ない場所だったのでしょうか。ふるさとは、最初から子どもが少なく、お年寄りばかりだったのでしょうか。『ふるさと』があるからこそ、帰る場所があるからこそ、私たちは今の場所で、がんばれるのかもしれません。『ふるさと』が記憶の中だけでなく、そこにあり続けるために。そのための『しかけ』をつくって、『結ぶ』のが私たちの『しごと』です」

中山間地域の応援を通じて、私たちは、もうひとつのふるさとを手に入れる。都市と農村の結びつきが強まれば、都市から集落へ新しい力を送ることもできる。徳田さんは中山間地域の現状を教えてくれた。

「中山間支援は、2009年の頃は9地区から始まった。リーダーがいる地区から手を上げてくれたが、それほど危機感は強くなかった。しかし、東日本大震災で移住者が岡山で生活するようになり、流れが変わった。人口減少と高齢化が厳しくなり、地域の人は、なんとかしないといけないと考えるようになった。かつては、集落がよそ者を積極的に受け入れてなかったが、移住者の人に会って、こんなにいい人なら受け入れたいと考えるようになった。田舎は、人がいいけど、地縁で結ばれて閉鎖的なところもある。そこに総務省の地域おこし協力隊が入ってきて、地域の受け入れと新しい人の活動場所が合致したことも追い風になった。震災と協力隊は中山間地域の流れを変えた」

地域おこし協力隊、東日本大震災、そして地方創生の取り組みは、人々が中山間地域の資源に注目するきっかけとなった。県内各地を飛び回る徳田さんだが、インターネットが発展しても、集落に人がいる限りは、都市と農村の人間同士の交流にこだわりたいと言う。

「都会の人が、安全で安心なものが食べられるのは、人口が減っても山や沢を守ってくれている人のおかげであることを、も

中山間のまちづくりを語る徳田恭子さん

「おかやま元気！集落応援団」のリーフレット

っと考えてほしい。敬意を払って、中山間地域のものを買うなど、お返しは何でもできる。県内で必要なものがまかなえることこそ、ぜいたくな暮らしであることを感じてもらいたい。できることはいっぱいある」

まちづくりのキーワードは、人同士のつながり、人と地域のつながりなのだ。次回は、中山間地域の新しい動きについて取り上げたい。

（2017／11／22）

若者と女性の活躍が集落を変える

中山間地域のまちづくりについては、藻谷浩介先生の『里山資本主義』や藤山浩先生の『田園回帰1％戦略』に詳しい。市場経済万能主義では地域の発展が頭打ちになってしまうことや、都市から地域への人の流れの大切さが述べられている。

「おかやま元気！集落応援団」の徳田恭子さんの取り組みは、田舎らしい暮らしの中に見出される、都会に引けを取らない自慢や地域の宝を評価する。そこで活躍するのは、女性、若者、移住者、そして、外国人である。

染色やデザインを専門とするアーティストでもある徳田さんは、中山間地域に出かけるときこそ、まちなかを歩くようにおしゃれをする。若い職員と出かけるときも、茶髪の現代っ子が喜ばれると言う。徳田さんは、課題解決を掲げながらも、まちの楽しさや美しさを引き出すことに力を入れる。田舎暮らしといっても、現代の子育て世代は、インターネットを日々利用し、都市と農村との間で、流行やファッションに大きく差があるわけではない。むしろ、都会の人々があこがれる生活を、アイデア次第で農村に作っていくことだってできる。また、田舎に暮らしていても、週末の空いた時間に市街地で買い物ができれば十分だという人もかなり多いのだ。

留学生と意見交換をする矢掛町羽無集落のみなさん

今年度、元気集落に登録する矢掛町羽無地区に徳田さんと何度も足を運んだ。羽無地区は桃源郷と呼ばれ、山の奥にひっそりとある、空気の澄んだ美しい集落だ。筆者は、学生たちと集落の歴史を調べ、自慢のお茶や果物、お米をいただきながら、特産品開発を手伝わせてもらった。住民の多くを高齢者が占める集落で、どうして特産品開発が必要なのかと不思議に思っていたが、集落の皆さんと話していると、特産品で経済的に潤うだけではなく、特産品を通じて地域が機能し、仲良く暮らしていけるのだと分かった。「このままでは尻つぼみになるから何かやってみよう」という意識こそ、地域のにぎわいづくりには欠かせない。大名行列に出店した羽無地区のブースは活気に溢れていた。よもぎ餅はほのかな甘みで美味であった。将来的にはヤマメを養殖してみたいとの声があがっていた。中山間地域では、夢を語り、挑戦できる集落作りが大切だ。最後に、中山間地域への意気込みをうかがった。

「中山間地域のまちづくりでは、ネクタイを締めることじゃなくて、一緒に考えましょうのスタンスが大事。100円の安い商品開発ではなくて、知恵を出すことが求められている。元気集落事業は、小学校区のような小さな集落でもピンポイントで応援できるのがすごくいいところ。頑張って、成功する事例を作って、もっと元気にする。できる範囲で少しずつやって、みんなが応援する。集落はいつかは消えてしまうかもしれないけど、若い人が入るだけで集落は変わっていく。女性がもっと活躍できればもっとうまくいく。中山間はまだまだ男の社会で、女性は後ろを支えている。女性にもっと時間の余裕があれば、まちづくりも変わっていく」

人口減少社会を迎えた今、われわれが中山間地域から学ぶものは多い。

（2017／12／1）

土と炎の備前焼の魅力

作家が創出する地域の結晶

2018年、一回目の岡山まちづくり探検は、土と炎から生まれる備前焼を取り上げたい。このたび、木村微風(びふう)先生の窯元である黄薇(きび)堂（備前市伊部）を訪れる機会があり、火のたぎる登り窯を見せてもらった。備前焼の魅力は、見つめれば見つめるほどに変化する色合いの絶妙さや、力強さとやわらかさを兼ねそなえた形状、そして、手にしっくりくるさわり心地である。ビールやお茶も備前焼でいただくと、保温力や舌ざわりから素材の繊細な味がぐっと引き出される。素朴な備前焼は暮らしの中で使われて風合いが増していく。

土を練り、型を作り、焼き、冷ますといった作業はシンプルだ。だからこそ、作家の工夫や判断によって世界でひとつだけの作品が生まれる。岡山の持つ自然の恵みを最大限に活かした備前焼は、窯を通じて作家の魂が込められた逸品だ。

1月の寒い日であったが、窯に近づくとじわりと熱さが伝わってきた。木村先生は椅子に座り、窯を見つめ、指示を出し、ノートに温度を記録する。24時間態勢で2週間もの間、1000度を超す炎を見守り続け、その後、2週間をかけて熱を冷ましていくそうだ。窯元でそれぞれ違うそうだが、黄薇堂では、年に一度だけの焼きで４０００近い作品を生む。筆者が訪れたのは火入れの最終日だったため、疲労もピークを迎える頃であるが、目線は真剣そのものだ。木村先生は備前焼の魅力について、「世界にひとつしかないもので、自分の好みを探すのが面白い」と話す。

窯の中の具合は、酸化と還元によって調整される。９００束ものアカマツを使用するそうだが、窯の中にある火の様子をどのようにつかむのだろうか。雨の日もあれば、乾いた日もあるだろう。アカマツの量や空気の加減によって炎の勢いも変化する。備前焼にはマニュアルが存在しない。作家の持つ経験や感覚が影響し、味わいが異なってくる。似た形であっても同じものは存在しないのだ。備前焼を求めて海外からのお客さんも近年増えているという。備前焼

備前焼でいただくコーヒーは格別だ

熱気が伝わる大きな窯。窯の内部も場所により温度が異なる

は、人と地域の力が合わさって生まれている。備前焼が持つ千年の歴史は、岡山の大切なアイデンティティーである。

今回は、長崎県佐世保市からやってきた学生時代の後輩とともに備前の真魚市、閑谷学校、そして、黄薇堂を巡った。「岡山の人はあったかいですね。それに、それぞれの地域で頑張ってますね！」と大変喜んでいた。後輩には岡山のまちづくりを全国に紹介してもらいたい。筆者は素敵な備前焼の湯飲みを見つけることができた。直感ひとめぼれだ。

（2018／1／23）

フランスを練り歩いたサムライ　新見で偶然の巡り会い

2018年、涼を求めて、新見市の鍾乳洞・満奇洞（まきどう）を訪れた。昨年は、土下座まつり（大名行列）に出かけたらまさかの雨天中止だったが、縁あって新見市の歴史についてうかがう時間をいただいた。そこで紹介されたのが満奇洞だ。満奇洞の名は、地名の槇（まき）をもとにして、1929年、与謝野鉄幹・晶子夫婦が訪れた際に、晶子が「奇に満ちた洞」と詠んだことから命名されたという。

おのづから　不思議を満たす　百の房　ならびて広き　山の洞かな　　寛（鉄幹）
満奇の洞　千畳敷の　蝋の火の　あかりに見たる　顔を忘れじ　　晶子

頭に気をつけて腰を下げ、鍾乳洞の中に入ると、何億年もかけて形作られた自然の神秘を体験できる。静けさの中に響く水の滴る音の中、不思議な石柱やつららに覆われた壁を眺めながら地底の世界を歩くと、幻想的な時間に引き込まれる。「奥の院」「宮殿」「寺院」「鬼の金棒」「夢の架け橋」など、洞内には色々な名をつけられたスポットがある。子どものころ、雲を眺めているとパンやわたがしに見えたように、満奇洞は想像力がかきたてられる不思議な空間だ。

ところで、今回の新見訪問では面白い驚きがあったので紹介したい。大名行列がフランスのアルザス地方で公演されたということだけは、昨年聞いていた。筆者はフランスに何度か仕事で足を運んでいるが、新見の一団が、いつ、どのような目的で異国の地に飛び立ったのか、そこで何をしたのかずっと気になっていた。満奇洞見学のあと、お世話になっている方の家を訪ねていたら、女性のお客さんがやってきた。なんと、亡くなられた旦那さんが、フランス・アルザス地方のコルマールでの約１００名の大名行列を企画していた張本人だったと分かったのだ。他にも、ホームステイや文化交流を手がけていたという。旦那さんは新見市役所に勤めていた野林正紀さん。『サムライパレード à ALSACE～海を越えた絆～』という100ページほどの報告書を残しているそうで、翌日、野林さん宅にうかがって拝見させてもらった。

1992年12月31日、フランス・コルマール市にて、新見の大名行列が行われた。地元紙には「風のように集まり、風のように去る」という見出しで紹介されたそうだ。報告書には、大名行列は身分制の厳しい時代のパフォーマンスであり、その中に、地域が一体となる人間賛歌や解放の精神が込められていると書かれていた。開催日はEU統合の前日だった。記念すべき日の門出に、新見で300年培われてきた心意気をアピールするとともに、祝福のメッセ

コルマール市の大名行列。左が野林さん

野林さん宅に残されていた報告書

ージも込めていたのだ。この大名行列をきっかけに1992年から2002年までの10年間、新見市とアルザスとの間では、ホームステイやインターンシップなどの文化交流が民間の力で続けられたそうだ。

筆者も訪れたことのあるストラスブールのお店も何軒か紹介されていた。奥さんに「大聖堂の前のレストランがとても美味しいんです」と言うと、「夫が生きていればどんなに喜んでくれたことか。どんなに忙しい中でも、フランスとの交流を続けていくことが、生きがいだったんです。一直線でサムライのような人だったんです」と教えてくれた。新見市で筆者のフランス留学生活について話すことになるとは思いもせず、偶然の巡り会わせにただただ驚き感謝した。

野林さんは帰国してから体調を崩し、入院先の病院で報告書を書き上げた直後に亡くなられたそうで、この報告書は、長い間家の中で眠っていたそうだ。野林さん宅でホームステイをした若者も今は筆者と同じく40歳前後になっているだろう。また、新見市役所でインターンシップをしたというお嬢さんは、元気にしているのだろうか。病床で野林さんは、自分たちの交流の軌跡をだれかが目にし、このつながりをさらに発展させてほしいと強く願っていただろう。一方で、遠いアルザスの地で、新見市のことを懐かしく話している人たちもいるに違いない。

野林さんを魅了したアルザス。残念ながら、本人から直接お話をうかがうことはできなかったが、報告書のなかでは野林さんの笑顔や安堵感に包まれた写真が収められている。思いもよらない不思議な導きに感謝し、この報告書を次回のストラスブール視察へ持って行く決心をした。

（2018／8／26）

岡山で最も小さな村・新庄村

住民自治を守っていく

長らく訪れたいと思っていた新庄村。岡山と鳥取県の境にある岡山県内で最も小さな村で、旧出雲街道の両脇に植えられたがいせん桜が有名だ。また、特産品のヒメノモチは正月に欠かせない。桜の咲く時期に訪れるつもりが、その時期は新年度で忙しく、結局足を運ぶことができずにいたため、今回は美しい新緑の5月、小さな自治体の取り組みをうかがいに出かけた。

岡山市から高速道路で約1時間30分。到着したのは2018年4月にリニューアルオープンした道の駅「がいせん桜　新庄宿」である。駐車場の前には、春らしい淡い緑の山があり、田んぼからはカエルの鳴き声が聞こえる。この道の駅はかつて「メルヘンの里新庄」という名前だった

フランスの教会のような新庄村役場

お洒落な道の駅。日用品も買える

そうで、洋風から和風へと大胆な名前の変更に面白みを感じた。売店には、村民に向けての日用品もいくらかそろえられ、長ぐつを履いたお父さんも軽トラで乗り付けていた。おしゃれな内装を見ると、来店者のターゲットは、若い女性や家族連れのようだ。休憩所の黒板に、「927人」と書かれた新庄村の人口や町の活動が、みんなの目を引くように貼られていて興味深かった。

続けて、村役場に向かう。村を支えるのは、小倉博俊村長と、議員8名、職員約30人のチームだ。職員の方にうかがってみると、一人が二役をこなさなければ仕事が回らないほど忙しいようだ。また、小さい村ゆえに、顔や性格が見えすぎてしまい、議会の決定でも政策の立案でも気を遣う場面が多々出てくるようだ。まちづくりの恩恵が特定の人に集中していると見受けられてしまうこともあり、役場は村民全体のバランスに注意している。

新庄村は、「村」という行政単位を守り続けている。「村」であることのメリットは、規模が小さいからこそ、自治体が力を入れるべき仕事を明確にしやすいことだ。自治体は、住民にとって身近な存在でなければならない。村議会議員は、約20年前に「平成の大合併」が議論された時の様子を教えてくれた。

「今では合併をしなくて本当に良かったと思います。真庭市の一部になっていたら、ここは端っこになり、人々の一体感というところで違和感があったはずです。合併協議会の話し合いが続けられましたが、議会が単独で残ることを先に宣言したのです。それは大きなタイミングでした。村民同士で話し合った資料もあるのでご覧ください。そもそも、市町村合併自体を新庄村は経験したことがない珍しい村なのです。明治時代から今のままです」

日本には1718の自治体があり、市は790、町は745、村はわずかに183しか残っていない（2019年5月27日現在）。その中で、一度も合併を経験していない村は珍しいのではないだろうか。岡山県内でも「平成の大合併」により、市町村数は78から27へと減少し、村は、新庄村と西粟倉村を残すのみとなった。岡山県が村を抱える意義は大きい。小さいがゆえに住民自治や民主主義の根源的な役割を抽出しやすい。村の単位でまちづくりが機能すれば、それを町、市に応用することもできる。特に、明治時代から続く新庄村であるならば、どんな課題に対応してきたのかが時系列に分かっていく。村の維持とは、日々、直接的にまちづくりに挑戦することであり、たいへん興味深い。

（2019／5／27）

田舎の楽しみ方を知る

新庄村役場を離れて、車で観光名所を回る。県南の岡山市より涼しく、空気がおいしい。雪解け水を最初にいただくのだから、お米も野菜も格別にうまい。まずは不動滝を訪れ、そのあとキャンプや登山で人気の毛無山を見せてもらった。中国電力最大の水力発電所である土用ダムも圧巻だ。承久の乱で敗れた後鳥羽上皇は出雲街道を通って隠岐に到着したそうだ。後鳥羽上皇の詠んだ句の石碑が残されている。

みやこ人　たれふみそめて　かよひけん　むかひの道の　なつかしきかな

上皇は、険しい山々を歩み、都への想いを募らせた。一方で、村人も都からやってきた上皇にさぞ驚いただろう。新庄村は、自然だけではなく、宿場町といった交通の要所でもあり、歴史や文化も深い村だ。村を案内してくれた役場の方は、「いいでしょう。田舎は土日もいろいろ行事があって、忙しいんですよ！」と言う。

田舎には田舎の楽しみ方があり、季節の恵みをそのまま受けることができる。生活の質（QOL：Quality of life）が近年注目されているが、環境に優しい生活が好きで、ほどほどな暮らしで十分だという人には、田舎暮らしは最高だ。右肩上がりの経済成長が続いていれば、都市の生活でいくらかコストがかかっても何とかなるだろうが、景気が悪化していくと、都市部では目に見えないところで貧困問題が起こり始める。田舎で生活すると、顔の見える範囲の交流は多く、安心して生活ができる。車で案内をしてもらいながら、田舎で生活すると、山や川から採れる旬の食べ物が、おかずになってご近所から回ってくると教えて

新庄村のまちづくり拠点・咲蔵家.

カエルが鳴いていた。のどかな農村だ

もらった。そのような人と物を介した交流が、まだ岡山に残っていることが素晴らしい。

筆者もフランスに留学していたころ、新庄村とほぼ同規模の人口800人の村にお世話になった。フランスでは日曜日に店舗が閉まっているため、土曜日に家族で買い物に出かける。日曜日はたいてい家族や友人の家で過ごすことが多い。選挙の日やクリスマスにも家族が集まってくる。とにかく家族のイベントが多い。必要なものに手が届き、健康でほどほどの生活ができれば、生活の質は担保される。どれだけ素晴らしい政策があったとしても、活き活きと暮らしていけるのは、家族を中心として戻ってくる場所があってこそということをフランスで学んだ。

最後に、がいせん桜通りにある咲蔵家（さくらや）に寄らせてもらった。蔵を改修したコワーキングスペースがあり、株式会社まちづくり新庄村（新庄村の職員が出向している第三セクター）が運営している。移住・定住を支援する同社は、主婦の方を対象にテレワークなどを紹介している。しかし、出雲街道の美しい街も空き家の増加に頭を抱えているそうで、今夏には、地産地消の料理を提供する「新庄宿須貝邸」という宿泊施設をオープンし、空き家の活用を進めている。

短い滞在だったが、初めての新庄村はとても楽しかった。「次回は学生たちと一緒に来てください」とお願いを受けた。学生と行くのであれば、（1）桜祭りがなぜ始まったのか、（2）新庄村が最も活気があったころの写真を集めて、かつてのまちの姿を後世へ残すこと、（3）小さい村に残る住民自治の根幹は何か、といったテーマで調査をしてみたい。

新庄村を訪れて改めて感じたのは、「小さな村はたくましい」ということだ。今までそうであったように、簡単に倒れるものではない。若者が都会で学ぶのは良いことだが、時には田舎の魅力や力強さを知って成長してほしい。どんな課題が起きても腰を据えて挑む村の姿から学ぶものは多いはずだ。

ヒアリングの後は、おみやげだ。本日の仕事を終えた筆者はヒメノモチを買って新庄村を後にした。

（2019／6／13）

山鳥毛（さんちょうもう）里帰りプロジェクト　瀬戸内市の取り組み

2019年10月22日、瀬戸内市長船町にある備前長船刀剣博物館を訪れた。この日は秋晴れで、海外からのお客さんも多く、館内はにぎわっている。偶然にも「即位礼正殿の儀」の日で、入館料は無料であった。アメリカからの観光客には、無料である理由がなかなか伝わっていなかったようなので、「今日はエンペラーのお祝いの日なんだ」と伝えると、「僕らもお祝いに参加できてうれしいよ。日本のことは大好きなんだ」と喜んでいた。瀬戸内市まで足を運んでくれる海外からの人々に、日本刀はとても人気なのだ。

入り口では、上杉謙信・景勝親子の愛刀として有名な国宝「太刀　無銘一文字（山鳥毛）」を、生まれ故郷である瀬戸内市に戻すプロジェクトが紹介されていた。まず、「5億円」という数字が目に飛び込んできた。瀬戸内市は、市民や企業のクラウドファンディングによって5億円を集めようとしている。小銭しか扱わない筆者にとって、5億円のイメージはつきにくい。しかし、瀬戸内市がこの金額を容易に捻出できないことはすぐに分かった。里帰りプロジェクトの背景には、瀬戸内市長船町一帯が全国一の刀剣生産量を誇り、かつ、国宝や重要文化財に認定されている日本刀の半分が備前刀だということもあるのだろう。ただ、それだけでは少し説明が弱いような気がしたので、館内でプロジェクトの説明を受けてみると、「山鳥毛」の里帰りは千載一遇のチャンスであり、瀬戸内市のアイデンティティーにも関わるものだと分かってきた。館長にお話をうかがった。

「日本刀の国宝は111振あり、その内、41振が備前刀です。しかしながら、博物館がスタートしたとき、日本刀はひとつもありませんでした。太平洋戦争が終わって、武器類は廃棄することになり、刀剣は東京・赤羽に集められました。美術品としての価値があるものは残り、保存されたり、地域へ寄贈されたりしました。当館では100振をいただき、500振を預かっています。

しかし、重要文化財や国宝はありません。やはり、良いものは、瀬戸内市から出てしまったのです。お客さんからは、『博物館の中で一番いい刀はどこですか？　国宝はどこにあるのですか？』といつも聞かれるのです。現在個人が所有する山鳥毛は岡山県立博物館に寄託されています。一昨年、謙信公にゆかりのある上越市が手に入れようとしましたが、うまくいきませんでした。その後、所有者の方が瀬戸内市に譲渡したいと言ってくださったのが始まりです」

里帰りプロジェクトのリーフレット

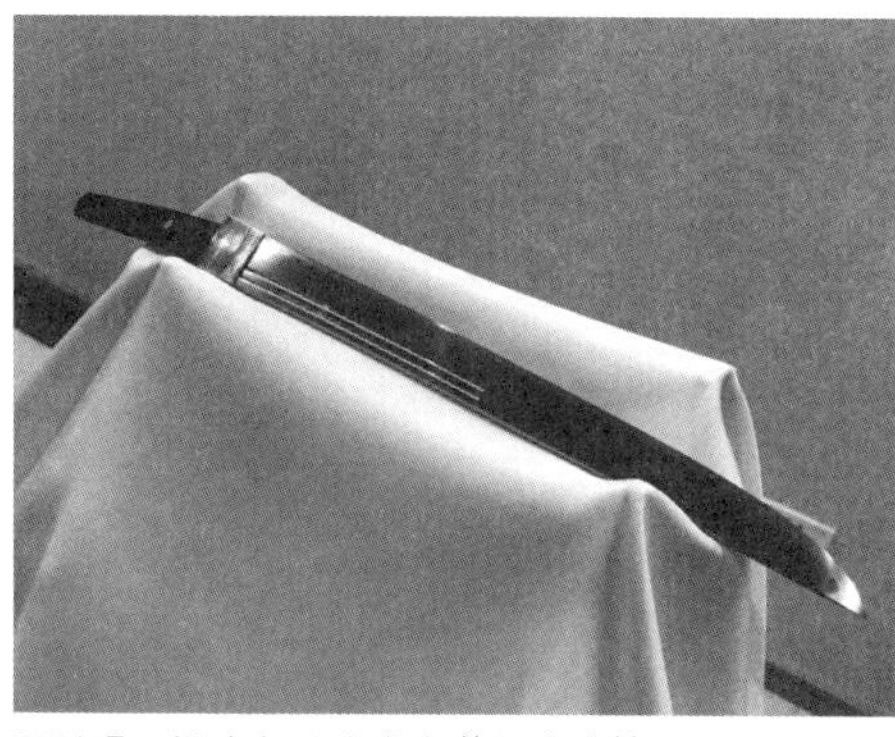
刀は吸い込まれるような美しさを持っている

日本刀の最高峰である山鳥毛が故郷に戻る可能性が生まれ、瀬戸内市は動き出した。山鳥毛には年間60日の公開日が設けられているそうで、10月7日から14日にかけての刀剣博物館での特別展示は大盛況であったという。通常土日は300人ほどの来客であるが、その間の来客数は５４４１人に上った。刀剣博物館やファンにとって国宝・山鳥毛は特別な存在なのだ。ところで、５億円という大金を税金から支出するのではなく、クラウドファンディングで集めているのはなぜだろうか。その理由をうかがった。

「税金を使って購入することに議会でも賛成、反対がありました。しかし、市民の方々の意見が二分されることはよくありません。あくまでも瀬戸内市を応援してくれる人たちから寄付金を集めて頑張りたいと思ったんです。そして、市税を使わなかったのは、一生懸命頑張って、まずは瀬戸内のことを知ってもらいたい、考えてもらいたいという気持ちからです」

現在、岡山県内にある国宝の刀剣は林原美術館に2振と、岡山県立博物館の山鳥毛しかない。一度国宝が岡山を離れるとなかなか戻ってこないという危機感もある。歴史的・美術的な価値の高い刀剣が瀬戸内市に戻ってくることで、刀剣の魅力がさらに広まり、その技術が後世に継承されることを期待したい。

「刀匠は年間に42振を作ることができます。ただ、作っても売れないといけませんし、伝統技術を継承することは容易ではありません。備前には３００人ほどの職人がいますが、刀剣だけで生活できる人は一握りです。刀剣博物館は日本刀の人材育成にも力を入れています」

５億円までひと踏ん張り、ふた踏ん張りという状況だ。里帰りはみんなの力で実現するしかない。実は、この多くの人々を巻き込もうとする市民参加的な手法こそ、瀬戸内市の特色なのかもしれない。山鳥毛が戻ってきてほしいという気持ちが、どれほどに高まっていくか注目だ。貴重なお話をうかがったあと、無料とはいえ入館料は払って帰った方がよかったのではないかとふと思った。

（2019／10／31）

（注）2018年11月1日に始まった山鳥毛里帰りプロジェクトは、2020年1月26日に目標額の5億円に到達した。同年3月22日、山鳥毛は瀬戸内市の所有となる。

疫病払いと狼信仰

高梁市・木野山神社を訪ねて

緊急事態宣言の後、新型コロナの勢いは和らいだかと思ったら、夏に向かい全国で再び猛威を振るい始めた。ウイルスがどこからやってきて、だれが感染してしまうのか。人の動きが活発になるほどに流行し、不安に駆られる日々が続く。不気味なのは、ウイルスは確実に存在しているのに、目に見えないことだ。そのため、不安は増し、私たちは拠り所を求めるようになる。

振り返ってみれば、コロナウイルスに限らず、日本人は外からやってきた災いに常に敏感であった。幕末から明治にかけて海外から何度か持ち込まれたコレラは、岡山にも多くの死者を出した（1886年1116人、1902年709人の死者『岡山市百年史上巻』）。その中で、岡山の人々が疫病退散に効果があると厚く信仰したのは、高梁市の木野山神社（同市津川町今津）であった。木野山神社を初めて知ったのは、郷土史家・岡長平の「コレラ岡山」（岡山市水道誌資料編1967年）を読んだときだ。江戸後期から明治にかけて、岡山は「流行病（はやりやまい）の天領地」や「コレラ市」と呼ばれていた。伝染病は、「地震・雷・火事」に続く、不可抗力の天災とされていた。

原因不明のコレラの流行で、日本各地にオオカミ（狼）信仰が起きた。コレラは、漢字で「虎列剌」と書く。外国の「虎」より強いのは、日本の「狼」だということで、人々は、オオカミ様にお参りへ出かけた。1858年、岡山の城下町に木野山神社から神輿（みこし）が担ぎ出されたそうだ。酒、塩のほか、疫病退散の願いが込められたキュウリが奉納され、大いに盛り上がった。1879年の流行時は、県令（現在の県知事）・高崎五六が住民の集会や飲食騒ぎを禁止したため、穏やかな神輿担ぎに変更されたそうだ。そもそも、岡山で疫病が広がりやすかったのは、干拓でできた土地が多く、良質な井戸が少ないためであった。1905年に三野浄水場ができるまで、人々は旭川や西川から濾（こ）した水を飲んでおり、その不衛生な水から疫病は広まっていった。先人は衛生的な水を手に入れるため大変な苦労をしたのだ。

さて、2020年7月に筆者は高梁市の木野山神社に参拝をした。木野山神社はJR高梁駅から一駅の木野山駅から徒歩5分のところにある。高梁川に面し、急な山々に囲まれており、俗世から離れた感がある。宮司の小野文彬さんにお話をうかがった。

「木野山神社に奉られているのは、闇龗神（くらおかみ）と高龗神（たかおかみ）という神様です。それらの音が変わって、『オオカミ』になったのです。木野山神社の奥宮の両脇にオオカミ様の像が今でも奉られています。疫病に関していつから信仰が集まったのかは、江戸時代の前はよく分からないところも多いのですが、神社は昔からあり、オオカミ様のお奉りもしておりました。木野山神社が病気に効果があると、それ以前から信仰はあったようですが、コレラ（虎列刺）は虎の字が入って

木野山神社の参道。石段の傾斜が高い

いただいたお札。三密対策を再度確認

おりますので、それよりも強いのはオオカミ様ということで、コレラの時は大変人が集まったそうで、西日本の岡山だけではなく、東日本でもオオカミをお奉りしている神社が大変流行ったそうです」

いただいた神社のしおりにも、「古くより流行病、精神病に対するご霊験はことにあらたかで、明治十年前後中国地方に猛威を奮ったコレラ病は、各地に一大悲惨事を巻き起こし、この業病をまぬがれんとする人々が昼夜の別なく参拝し、ご分霊の譜待も相次ぎ格別の御神威の発揚がありました」とある。伝染病の対処も情報も限られ、原因不明で人が倒れていく様子を目の当たりにすると、多くの人はすがるような気持ちで参拝したに違いない。もちろん、現代のように情報が溢れていても、正確な情報でなければ、不安な気持ちを拭い去ることはできない。しかし、木野山神社を訪れると、「今までも疫病を追い払ってきたんだから」と少し前向きな気持ちになる。

宮司さんから流行病消除のお札をいただいたので、お世話になっている方にお渡しした。「へぇ、こんなものがあるとは知らんかった」と喜ばれた。感染予防対策は、神頼みだけにするとオオカミ様もさすがに困ってしまうので、三密を避けて、手洗いうがいの徹底、そして、お酒の騒ぎを慎まなければならない。木野山神社の皆様、突然の訪問にもかかわらずご丁寧に説明してくださりありがとうございました。

（2020／7／27）

世界のまちづくり

ポートランドの魅力

市民が集まる公共空間の創出

まちを歩き、自然に触れる。ストレスの少ない環境で、安心して生活をする。本章はそのような住みやすさの条件を、世界の事例をもとに考えたい。

筆者は、２０１６年3月にアメリカ・ポートランド市を訪れ、人の集まる仕組みについて調査した。ポートランドは、北西部オレゴン州にある人口約60万人の都市だ。近年、「アメリカで最も住みやすい都市」と呼ばれ、世界中から注目されている。環境に優しい都市としても有名で、二酸化酸素の削減やグリーン・インフラの整備に力を入れている。アメリカでは珍しく、ＬＲＴ（次世代型路面電車）などの公共交通機関が発展し、ナイキやアディダスなどグローバル企業の本社が集まっている。また、自転車やローカルフードへの関心も高く、まちなかにビールの醸造所やカフェが多いのも特徴だ。移住者は毎週４００人ほど集まっているそうだ。ポートランドがこれほどまでに人々を惹きつけているものは何であろうか。今回は、空間づくりに関わる人のインタ

アーティスト向けの住宅図を説明するレイクマン氏

ビューから、彼らのセンス・オブ・コミュニティ（共同体意識）に触れてみた。

ポートランドで20年にわたり、人が集まる場づくり（プレイスメイキング）を行っているシティ・リペアという団体を訪ねると、創設者の一人であるマーク・レイクマン（Mark Lakeman）氏が迎えてくれた。彼は、デザインを通じて人のつながりを取り戻す活動を続けている。近年、地域住民が道路に絵を描いて連帯を表現する活動が全米に広がっているが、それも彼が始めたものだ。２０１５年9月には、車中心の道路空間を人の交流空間に変える手法について、ポートランドを事例に岡山で講演してくれた。「かつての路上には、屋台が多く並び、誕生日会が開かれるほど、人は自由に楽しんでいた。しかし、車社会が到来し、人は車に追いやられてしまった」と彼が述べたのを覚えている。再会を喜び合い、彼に岡山を初めて訪れた感想を聞いてみると、「岡山の自然と文化は、スピリチュアル（精霊的）であり、建物からも活動からも多くのインスピレーションを受けた。社交的な人が多くて楽しい時間だった」と答えてくれた。西川の満月BARと岡山後楽園の幻想庭園を一緒に楽しんだが、岡山をスピリチュアルと例えるのが彼らしい。彼の哲学は、人、自然、都市は循環の中で構成されるというものだ。大事にしているのは、得たものを蓄えるよりも、与えることらしい。そうやって人やものが循環し、それがいつか自分自身のもとに戻ってくるという信念を持っている。

シティ・リペアのオフィスでは、ホームレスを対象にした住宅やアーティストが集う住宅のデッサンを見せてもらった。デッサンを見ると、住宅というよりも、みんなで生活するコミュニティを描いているように感じた。自然と生活の一体感を大切にし、人が休む木陰や人の行き交う場所を作っている。そこでは、人がすれ違うたびに会話も生まれる。

レイクマン氏が岡山にまた来ることがあれば、彼にお願いしたい仕事がある。彼は、廃材を集めて作った屋根を車の上に置き、バタフライという移動式の公共空間をつくるスペシャリストだ。それを、いつか岡山でやってみたい。環境に負荷をかけずに空間をつくるのがレイクマン流なのだ。岡山のどこかで、大きな屋根をみんなで作り、将来のまちのビジョンについて話し合うのはどうだろうか。人が集まり、対話する空間を公共空間と呼ぶ。だれもが気軽に始められる空間づくりが求められている。おしゃれで楽しければ言うまでもない。

自然に優しく、スマートなアプローチを好む人が集まるのだから、彼らの理想とする社会も、生活を包むような温かいものなのであろう。

（2016／3／10）

身の丈に合った暮らしを追求

毎週土曜日の朝、ポートランド州立大学のキャンパスでは、ポートランド最大のファーマーズマーケットが開かれている。野菜、花、ハム、ソーセージ、ジャム、蜂蜜、パン、チョコレート、スパイスをはじめ、世界各国の食品が売られており、大変活気がある。ミュージシャンの生演奏が聞こえてくる。ファーマーズマーケットに行けば、一日の始まりが楽しくなる。

マーケットを運営する方に、にぎわいの理由を聞いてみた。「マジックがかかっているからだよ」という。それだけではよく分からなかったので、もう少し詳しく教えてもらった。マーケットへの出店希望者は年々増えており、運営はビジネスとして成り立っているそうだ。運営母体は、大学キャンパスだけではなく、市内各地で曜日や場所を変えてマーケットを開いている。マーケットの愛好家は、大量生産されたものよりも、安心できるものを必要なだけ買っていく。生産者や職人との話を楽しみにしているそうだ。にぎわいの秘訣は、マーケットが、生産者と買い物客

どれを選ぶか迷ってしまう。欲しいものを必要なだけ購入するのがエコロジーだ

が会話を楽しむなど交流の場になっていることだ。

ポートランド州立大学で研究員を務めるダン・ヴィッツィーニ(Dan Vizzini) 氏が、マーケットを案内しながらポートランドの特徴を教えてくれた。ポートランドでは、権力が集中するのを嫌う市民文化があり、それは、政治においても経済においても同じだそうだ。大きな会社だけが儲かるのではなく、小さな企業やアーティサン（職人）にチャンスがある方が好まれるそうだ。確かに、マーケットを歩いてみると個性的な店舗が多いように感じられた。また、アメリカ諸都市や岡山に比べても、ポートランドの人はよく笑い、リラックスしているように感じる。おいしい食べ物、空気、きれいな水、緑、山、川といった環境が揃い、地場産業も元気であれば、思い思いのライフスタイルを楽しめるのだろう。ダン氏は、ポートランドのまちなみを海中の世界にたとえる。

「ポートランドの都市デザインは、まるで珊瑚礁のようだ。魚が珊瑚で休むように人の隠れ家的な場所もあるし、おいしい食べ物や空気だって、そこから生まれている。魚のように人もたくさん集まってくるし、多彩で美しい」

レイクマン氏も、ダン氏も、それぞれがまちづくりのビジョンを持っている。しかし、大規模な開発にばかり目を向けるのではなく、人間が生活していくうえで、本当に必要なものは何かというところから考え、身の丈にあった暮らしぶりを追求している点は共通している。

岡山に目を向けると、京橋、西川緑道公園、倉敷美観地区など、様々な場所で地域密着のマーケットが開催されている。春に向かうこの気持ちのいい時期に、ちょっと家を飛び出して、岡山の特産物を楽しんではどうだろうか。

（2016／3／20）

セルツァー教授のまちづくりレッスン

都市政策に必要な3つのキーワード

ポートランド市と岡山市の交流は活発だ。２０１３年、岡山大学はポートランド州立大学からスティーブン・ジョンソン（Steven Johnson）教授を招待し、「第一回ポートランドまちづくりウィーク」を開催した。２０１５年4月には、大森雅夫市長を団長に経済界と大学が連携してポートランドを視察した。同年12月には、まちづくりウィークの2回目として、州立大学のイーサン・セルツァー（Ethan Seltzer）教授を招待し、国土計画と市民参画の双方から分析した都市成長について話をうかがった。そして、翌２０１６年、持続可能な環境を農業や文化の側面から作り出す「パーマカルチャー」を実践するマット・ビボウ（Matt Bibeau）氏や、ポートランド市開発局職員の山崎満広氏（現・横浜国立大学客員教授）を招待し、講演やトークイベントを開催した。

今回はその中から、セルツァー教授との交流について述べたい。２０１６年11月、筆者は州立大学を訪れてセルツァー教授と面会し、貴重な話をうかがうことができた。

ポートランドのまちなみ

LRT（新型路面電車）が大学キャンパスを走る

セルツァー教授と意見交換

ビボー氏、ジョンソン教授、レイクマン氏が集まった。一番右が筆者

彼の考えるポートランドのまちづくりのキーワードは、「公正性（equity）」「健康（health）」、そして「レジリエンス（resilience）」であり、これらをどのように政策に反映させるかが重要だという。

近年、ポートランド人気が世界で高まるにつれ、アメリカ国内からの移住者や海外からの移民が増加している。一方、アメリカ全土で貧富の格差が問題になっている。そのような状況で、公共サービスは特定の人や団体に偏ることなく、すべての市民に提供されなければならない。これを公正性と呼ぶ。まちづくりには、機会の平等と資源の分配の視点から、市民にとってフェアな決定が求められている。ただ、その背景から、公正性の実現には困難がともなうことも分かる。たとえば、野菜をひとつ手に入れる場面でも、富裕層ほど、値段が多少高くても、地元で採れた新鮮なものを手に入れやすく、低所得者層ほど、安くて質の劣る輸入品に頼るようになる。健康にとってもまちにとっても、これはよいことではない。市はこのような実態から目を背けず、大気汚染対策や健康管理、安全・安心な食品の提供に力を入れ、健康づくりを推進している。

「レジリエンス」は、「復元力」「回復力」などと訳され、近年では災害対策でよく用いられるようになった言葉だ。災害対応で求められるのは、ただちに解決すべき課題と、時間をかけて取り組むべき課題を明確に分け、まちの復興に向けて着実に前進していくことだ。レジリエンスは柔軟な考え方であり、気候変動や水質改善など、人と自然の関係を問い直す機会にもなるとセルツァー教授は言う。

ポートランドは、大きな目標を立て、まちづくりが目指すべき方向性を明確にしている。この目標づくりのために、市民は何度もワークショップに参加し、対話を続けているのだ。そうすることで、市民と行政との間で、自然と情報共有が密接になる。そして、それぞれが独立しているように見える都市計画、経済政策、まちの景観、環境対策が、実際には調和しあい、ひとつのまちづくりとして機能するようになる。

セルツァー教授は、オレゴン州の土地利用計画も、ポートランドの独自性を高める一因だと述べている。日本の市町村で想像すると分かりやすいが、どこの自治体の総合計画にも同じような内容が書かれていて、その地域の特色や強み、弱みを見出すのが難しいこともある。一方オレゴン州では、土地計画に関する最低限の目標を掲げるのにとどめられていて、その先は各自治体独自の計画にゆだねられている。民間企業による無秩序な開発を抑制するために、自治体は地域の成長を管理しようと総合計画の策定に力を入れており、州政府のトップダウンではなく強力なボトムアップによって目標が立てられるのだ。これを生かして総合計画を作成したポートランドは、「ベストプランニングシティ」と呼ばれるようになった。

連邦国家であるアメリカと集権国家である日本との間には政策や文化の大きな違いがあるため、ポートランド流のまちづくりをそのまま日本に応用することは難しいかもしれない。しかし、セルツァー教授の話は、今後のまちづくりのありかたを考えるにあたって、大きな財産となるだろう。たとえば、岡山では公正性がどこまで実現されているか。市民の健康や災害に対する意識はどうか。自分に身近なところから考え、住みやすいまちづくりに市民が積極的に関わるようになれば、まちの将来も明るいはずだ。そのためには、市民一人ひとりに、自分の声がまちを変えたのだという経験をしてもらえるよう、産官学が後押しをしていかなければならないと感じた。

（２０１６／11／５）

必要なものは手の届く範囲に

全米一住みやすい都市として注目されるポートランドだが、急激な人口増加による副作用も現れている。住民と話をしてみても、低所得者層が多く住む地域に富裕層が移住してきたため、地価高騰が続き、低所得者層が住めなくなってしまうことが問題だという声が多く上がる。そのような状況を踏まえ、セルツァー教授からうかがったアドバイスを紹介したい。

彼は、ポートランドで新たに用いられるようになった「コンプリート・ネイバーフッド（Complete Neighborhood）」という基準について教えてくれた。耳慣れない言葉だが、簡単に言うと「日常生活で必要なものやサービスが、家から手の届く範囲にあること」だ。具体的には、食料品店やレジャー、ビジネス、学校、交通機関などの機能がコンパクトにまとまっており、住民が安全かつ便利に利用できる範囲のことで、ポートランドの政策目標にも採用されている。この基準をもとにしたまちづくりを実現するには、住民の意識変化も必要だ。コンパクトなまちで生活するには、これまでは郊外まで車でショッピングに出かけていたところを、自転車に乗り換えるなど、住民自身がライフスタイルを変化させていかなければならない。

コンパクトシティという言葉が一般的になってきた今、この基準は日本でも活用できるのではないかと感じる。しかし、セルツァー教授は、海外の事例を自国のまちづくりへ生かすことについて、次のように教えてくれた。

「全てのまちは、そこに住む市民の歩みと成功の経験からできています。そのため、まちづくりの事例をほかの場所へとそのままコピーすることは難しく、あまりよい方法とも言えません。ポートランドがなぜポートランドであるのか、そのことを考えてみてください。普遍的なものばかりではなく、それぞれの都市の状況によって変化するものだということを忘れてはいけません」

よその事例をそのまま当てはめるのではなく、まちが持つ個性を磨き、そのまちに合わせた取り組みを考える。ポートランドの方から聞くとより重みを感じ、一歩踏み出して頑張りたい気持ちになった。

「Keep Portland Weird!（変わり者のポートランドでいよう！）」というスローガンが表すように、個性的で、積極的で、ユニークなまちと、そこに集まる人々から、今後も目が離せない。

（２０１６／11／６）

地域実践学習の秘策とは？

ポートランド州立大学に学ぶ

２０１９年10月24日から27日にかけて、ポートランド州立大学の教員による「コミュニティ・ベースド・ラーニング教授法ワークショップ」が岡山大学で開催された。参加者は、北は北海道から南は九州まで40名も集まった。ポートランドのまちづくり学習を学びたいという人もいれば、地域実践学習のノウハウを取り入れて大学の魅力を高めたいという人もいた。このコミュニティ・ベースド・ラーニング（Community Based Learning　以下、ＣＢＬ）は、地域の課題を学びの教材とし、学生や教員がまちづくりの実践に参画するというものだ。そして、大学と地域によるチームワークで学生の成長を支援する仕組みを築いていくのが特徴だ。州立大学のＣＢＬは、地域と結びついた質の高い教育が大学のブランドや評価を高めたことで注目されている。１９９０年代、州立大学はオレゴン州政府の財政危機を契機に、研究からＣＢＬを中心にした地域実践型教育に舵（かじ）を切ると、優秀な学生や教員が集まるようになり、まちづくりに貢献する研究も増えていったそうだ。

ワークショップが終わった後、岡山に1カ月滞在した州立大学のセリン・フィッツモリス（Celine

Fitzmaurice）教授に、日本の地域実践教育の感想をうかがった。

「日本人学生は、教室ではまじめでシャイだけど、課題を出すと目を輝かせます。また、椅子を円状に置くと、元気に話し始めます。パブリック（みんながいる場所）で話す感覚を身につけることが大切なんです」

筆者の授業についても感想をもらったが、気づかぬところを評価してもらい驚いた。

「授業を拝見させてもらって、教えたいという気持ち、熱意を感じました。学生の創造力を大切

全国各地から参加者が集まった。会場は熱気でいっぱいだ

地域実践学習をとことん語り合う

レポートを読んでみると、考え方が各自違うことが分かる

にしていますね。インフォーマルなところでみんながリラックスしています。小さな家族のようにお茶を楽しむ時間があるというのは、本当に素晴らしいことです。また、先生方は、学生に関心を持っています。どこまで理解しているかを考えており、何より、教育と研究の両方を楽しむ姿勢がありました」

筆者は、研究室に来た学生には豆を挽いてコーヒーを提供する。質問よりもコーヒーを飲んでいる時間の方が長いかもしれない。次に、セリン教授にCBLの質を高める方法を教えてもらった。

「授業では振り返りが大切です。（料理でたとえると）一度にたくさんの塩をかけるのではなく、少しずつかけていくイメージですね。授業のスタート、中間、最後です。効果的な学習には、まず、学生に地域のみなさんとどのような出会いをするのかをイメージさせてください。続けて、実際にまちの人に会ってどのような変化が起きたのかを確かめる。そして、最後に長い振り返りをしてください。私は学生たちと、『地域には何があるの？』『どういう意味があるの？』『これからどうするの？』の三つを一緒に考えています。振り返りが大切なのです。そうすることで、教室と地域との間に橋が架かるんですよ」

高校受験や大学受験では、質問に対して明確な解答が設けられている。しかしながら、まちづくりは複雑であり、ひとつの解答があるわけではない。学生は、何度も振り返りをしながら、前進していくしかないのだ。セリン教授に教員はＣＢＬとどのように向き合うべきかをうかがった。

「私は、批判的思考、多様性の理解、平等意識、社会正義を教育要素にしています。その本質は、社会の課題にある根源を探すことです。また、それを変えるために何をすべきなのかを追求することです。私は、授業での新しい知識が、学生たちの生活や態度を変えていくことを期待しています。教員にとってはハードワークになりますけどね」

地域学習はとても奥深い。学校と地域は若者を育成するパートナーである。若者がまちづくりを通じて現実の社会に触れ、成長する。若者の意識を変えるのは教育の力なのだ。セリン教授によれば、岡山では学校と地域が積極的に若者を育成しようとしているとのことだ。どのような人材を育てていくかについて学校と地域で話し合い、若者がまちづくりで活躍する場をみんなで提供していこう。

（２０１９／11／21）

コペンハーゲン　都市デザイン・哲学・民主主義

人間中心のまちづくり　公共空間の多機能性

２０１６年８月29日から９月４日にかけて、岡山大学と岡山市職員有志の４名で、デンマーク・コペンハーゲンの視察に訪れた。アンデルセンの人魚姫の像でも有名なコペンハーゲンは近年、リバブル・シティ（住みやすさ　Live＋able）ランキングで上位を獲得していることでも注目されている。コペンハーゲンは市の面積は88・25㎢。人口は57万人だが、毎月１０００人ほどのペースで増加している。地下鉄やレンタサイクルなどの公共交通が充実し、市民の移動手段の63％が自転車であるなど、世界有数の自転車天国だ。もちろん、歴史文化遺産が多くあり観光業も強い。そして街全体を見渡すと、都市計画、とりわけ、デザインの美しさに目が奪われる。

コペンハーゲン市では人間中心のまちづくりを掲げて、２０２５年までに二酸化炭素の排出量ゼロを目指している。住みやすさを高めるために、車社会から歩行者優先の都市への転換、緑や公園の整備など、公共空間に多機能性を持たせている。市民がまちなかを歩くようになれば、健康増進につながり、医療費の削減も期待できる。歩いて交流することは、人間性中心のまちづくりに不可欠な要素だ。ここで、コペンハーゲン市のユニークな事例を3つ紹介したい。

一つ目は、多国籍の住民が暮らす集合住宅だ。デンマークでは、移民、特に中東からの難民を多く受け入れており、都市では、様々な国籍や文化を持つ人々が生活している。この集合住宅では、世界各国の遊具を公園に設置し、親同士の交流よりも先に、子どもたちの交流からコミュニティの連帯を高めようとする。日本の公園でよく見かけるタコのすべり台も設置されていた。

二つ目は、港内に設置されたハーバーバス（Habour Bath）だ。港に直結した、誰もが利用できる自然のプールであり、魅力的な空間には誰もがアクセスできた方がよいというまちづくりの哲学を表現している。きっかけは、１９９０年代に工業地帯の再開発によって、河川のぎりぎりまで建物を建設してしまい、市民の憩いの場が乏しくなってしまったことだ。行政は、河川の汚染土壌を取り除き、自転車道やハーバーバスを設置していった。このようにコペンハーゲン市は、まちづくりの中心に市民のライフスタイルを据えるようになっていく。21世紀に入り、市の人口が急激に増えていくと、市民が利用できる空間が少なくなっていったため、広場や公園に多機能性を持たせ、市民の空間を確保するようになったのである。

三つ目は、小学校のグラウンドと道を隔てる壁を取り除き、市民が誰でも利用できる広場を作った事例だ。それまで、グラウンドを利用できるのは、学校の開講時間中の子どもたちだけであった。しかし、壁を取り除けば、近隣の生活者やバス停車場で待つ人々も、そこを利用できる。大変ユニークなアイデアではあるが、日常的に子どもと市民が交わるのは安全上の懸念があるのではないかと思い、教員に尋ねてみたところ、今までトラブルはないそうだ。心配事といえば、子どもたちのボールが道路に飛び出さないかどうかぐらいだという。

コペンハーゲンのまちを歩いてみると、まちの空間は市民の工夫でいかようにでも使えるのだと感じられた。

（2016／9／9）

ヤン・ゲール氏　公共空間の中の人間性

リバブルなまちづくりに何が必要なのか。その手がかりを求めて、ヤン・ゲール（Jan Gehl）氏のもとを訪れた。ゲール氏は、著名な建築家であり、都市デザインのコンサルタントとして世界各地のまちづくりに関わっている。建築事務所「ゲール・アーキテクツ（Gehl Architects）」を構えて以降は、ニューヨークやモスクワなどで車社会から歩きやすいまちづくりへの転換策についてアドバイスも行っている。

ゲール氏の哲学は、コペンハーゲン市の総合戦略や都市計画にも大きな影響を与えてきた。彼

港湾に設置されたハーバーバス

自転車天国のコペンハーゲン市

日本人の職人が現地で制作したタコの遊具

校庭を市民に開放している

の思想の根源には、利便性や効率性を追求しすぎると、人の生活を忘れがちになってしまうという近代化への批判がある。ゲール氏によれば、車社会が到来する前、人々は自由に歩き、都市の王様であったが、車の数が増えていくと、人々は周りを気にしながら急かされるように移動し始めた。そして、都市には車が溢れ、車が新しい王様として君臨したという。都市空間の中で人間性がいかに奪われてしまったのか、そこから、いかに回復していくのかが、ゲール氏の関心だ。続けて、ゲール氏は、都市計画に関わる人は、そこで生活する人間に関心を持つべきだと述べた。

「人生が、都市をかたちづくるのであろ

うか。それとも都市の中で人生がかたちづくられるのであろうか。私たちは都市をつくり、都市が私たちの人生をつくる。だから、ライフスタイルは、どのような都市に住むかによって大きく変わってくる」

都市は、私たちのライフスタイルそのものなのだ。ゲール氏は住みやすい都市の条件について、明白なビジョンを持っていた。彼は、住みやすい都市には持続可能性と住民の健康が不可欠であると言う。そして、建物や車ではなく、人間のための都市デザインがなされるべきだとする。そこで、人が人に関心を持つには、出会いの場が大切となる。ずっと座ったままでは、人は病気になってしまうため、歩いたり自転車に乗ったりするなど、体を動かすことも重要な要素になるのだ。

コペンハーゲンにおける公共空間の活用の歴史には、段階があるそうだ。第1段階は、1960年代、歩行者天国の実施。第2段階は、1980年から2000年にかけての車から歩行者中心のまちへの転換。この時期に人が交流する空間づくりが本格的に始まった。第3段階は、スポーツやパフォーマンスが行われるアクティブな空間の整備である。社会の変化につれて、人間と公共空間の関係にも影響が現れていく。現在は第4段階に到達し、市内のどこでも歩きやすく、楽しいまちづくりが目指されている。彼は、コペンハーゲンの都市戦略で注目すべきは、交通だけではなく、人々が歩きたくなるように生活（ライフ）に光を充てた点だと言う。彼の言う「ライフ」とは、心地よい雰囲気、健康、環境、誰もが受け入れられ多様性を保つ社会的包容、市民の意見がまちづくりに反映される民主主義など、様々な意味を含む。ゲール氏の思想をさらに学びたい読者は、世界24の言語に翻訳されている『人間の街』を手に取ってほしい。

彼は、まちの変化を起こすイニシアチブは各都市で異なるが、コペンハーゲンでは、大学が都市調査を続けた功績が大きく、そのデータは市長、議員、建築家、市職員からなるまちづくりのチームを動かしたと教えてくれた。

ゲール氏は、空間活用の大切さを教えてくれた。まちの過ごし方から見つめ直そう

世界各国から多くの人がゲール氏の教えを乞いにコペンハーゲンに集まっている。そのような中、チーム岡山は、偶然と幸運が重なり、お話をうかがうことができた。まちづくりの応援依頼が来ると、ゲール氏は「MONDAY!（月曜日に！）」と答えるそうだ。「すぐに出かけるよ！」という意味だ。

「今度80歳になるんだ」と笑いながら答えたゲール氏。世界のまちづくりにアドバイスを送る力強さと明るさ、人間と都市に対する信頼、そして、背中を押してくれる頼もしい人柄が伝わってきた。10年後、20年後、岡山もゲール氏の教えを大切に、住みやすいまちを目指していきたい。

（２０１６／９／12）

地区評議会　地域民主主義を支える基盤

最後に、コペンハーゲンの住民自治を紹介したい。コペンハーゲン市は、２００７年に地区評議会（Lokaludvalg）という市民参画の制度を導入した。市民、行政、議会のつながりを強化し、地域民主主義を活性化させるのが目的だ。その背景として同年に、デンマークでは、行政サービスの効率化のため、14の県を５つの地域圏にまとめ、２７１のコミューン（基礎自治体）を98まで減少させる地方分権を行った。その中で、大都市では限られた市民しか政策の決定権を持っていないことが問題視され、広く市民を巻き込む制度が求められた。コペンハーゲン市は、地域を12に分割し、それぞれに地区評議会を置き、そこに、地域の情報や議論をまとめる機能を持たせた。この地区評議会によって、市民が積極的にまちづくりに参画し、意見を出せるようになった。市民はまちづくりに必要なものから優先的に話し合っていくので、行政運営の効率化にもつながっていくのだ。

例えば、Vanløse地区の地区評議会は、政党の代表者7名、地区代表16名の総勢23名で構成されている。地区代表としては、スポーツやアート関係者、建物や土地の所有者、ビジネス関係者など地区利益の団体代表者が参加している。彼らは、月1回の大会議のほか、社会参画、環境、交通・計画、若者支援、レジャー・文化などの部会に分かれ、まちづくり計画を作成する。地区評議会のメリットは、あらゆる立場のメンバーが集まることで、市民と政治・行政の橋渡し、情報公開、行政などへの提案活動がスムーズに行えることだ。だが、何より役立つのは、行政や議員では目の届かない地域の困りごとを住民が積極的にフィードバックできる点だ。

おおむねどこの地区でも共通して、自動車道と自転車道のバランス、駐車場の確保、歩道のライト、道路の迂回ルート、女性の参画、低炭素型社会に向けた緑のインフラ作りなど、住民が参加しやすいテーマで議論がなされているようだ。住民主導でまちづくりの課題を集め、提案がなされている。ただし、各地区の特徴もある。たとえば、河川エリアの開発が進んで育児世代が集まるØsterbro地区では、地価上昇により、現在の住民が住めなくなる不安があることから、駅や幹線道路をどこへ建設するかといったことも議題に上がっている。一戸建て家屋があって静かなVanløse地区では、公園、自転車道路、駐車場などが中心議題である。Nørrebro地区は、クリエイティブな住民、アーティストが多いため実験的なまちづくりができるが、オフィス街であるため住民が集まりにくいそうだ。

地区評議会によって、地域民主主義は大きく発展するだろう。しかし、市民参画の専門家であるアン・トルトゼン（Anne Tortzen）氏によれば、地区評議会があったとしても、権力構造はデリケートなため注意深く分析する必要があると言う。評議会の中では市民の意見は尊重されるが、議会も行政も、市民に決定権を委ねるものではない。一方、市民も毎週の会議に参加できるほどの時間もない。どこの国でも市民を巻き込んだまちづくりは容易ではないのだ。彼女は、地区評議会などのフォーマルな制度に加え、インフォーマルなつながりこそ地域民主主義にとって大切だとする。市民菜園など、人々が出会い、共同で作業を行う中でコミュニティが活性化する。異なる分野で活躍する人々が集まった方が、新しいものを生み出す共創（co-production）に向かいやすいと言う。

コペンハーゲンの滞在では、低炭素型社会の実現という大きな政策目標の中に、自転車道の設置や生活しやすい空間づくりを政策的に整備することはもちろん、それを推進する住民自治の充実が何より大切であることを学んだ。では、日本はどうであろうか。１９９０年代以降は、企業も行政も、激しい経費削減のプレッシャーから、都市のライフスタイルや住みやすさの向上については二の次になっているのかもしれない。地方創生という時代に生きる中で、私たちが望む生き方と、それを提供する都市の姿を、「人間中心」というキーワードからもう一度考えられるのではないかと思った。

（２０１６／９／17）

トロットマン氏との対話

ストラスブール市議会議員であるカトリーヌ・トロットマン（Catherine Trautmann）氏は、１９８９年から１９９７年までフランス主要都市で初めてとなる女性市長を勤め上げ、文化・通信大臣、欧州議会議員も歴任した人物だ。彼女の名前を聞いて、何度も住民集会を開き、トラム（新型路面電車）を復活させた人物だと思い出す読者もいるだろう。

今回紹介したいのは、何とそのトロットマン氏が来日し、２０１６年10月５・６日に岡山大学で開催される「国際学都シンポジウム」で講演を行うという話だ。ストラスブール市の人口は27万人だが、そのうち大学生は6万人もいる。公共交通、若者の支援、企業の誘致、エコロジー産業の育成など、ストラスブールは、欧州首都として都市成長の世界的モデルになっている。岡山大学は、ストラスブールを「学都」のモデルとし、大学と都市の連携や、世界的な都市競争の中で生き残る秘訣を研究してきた。21世紀は知識経済社会であり、大学の研究と教育の力は都市成長の土台となっている。世界からクリエイティブな人材を受け入れるための受け皿を大学と都市は連携して準備しなければならない。ストラスブール市の都市戦略は個別ではなく、市民、教育機関、行政、経済界、政治を含めたチーム態勢で練られているため、岡山のまちづくりにもそのノウハウを活用したい。

筆者は、トロットマン氏の講演準備のため、3月にストラスブールに向かった。お会いして感じたのは、まちづくりに対する情熱やカリスマ性だ。彼女は、若者、子育て世代、高齢者を含めて、ストラスブール市が誰にとっても住みやすい都市になるように尽力している。彼女は、一つ一つの質問に丁寧に答え、包容力のある温かさを感じさせる。彼女は具体的に、若者の新生活をまちを挙げて支援する「ストラスブールは学生が大好きだ（Strasbourg aime ses étudiants）」プログラムや、新しいモビリティの可能性と産業イノベーションの実態など、現在ストラスブールで行われている政策を説明してくれた。

日本の地方創生に目を向けてみると、政府はいわゆるＣＯＣ（Center of Community）事業など、大学を拠点とした地域の課題解決や人材育成に力を入れている。結果として、様々なパートナーシップが形成され、以前に比べると、大学の研究・教育が地域にとっても身近なものにもなりつつある。ただ、ストラスブールの事例を聞くと、岡山はもっと前進してほしいと思う。そのためにも、若者の学びを地域全体で応援しようという哲学や理念を大学と地域の人々は共有してほしい。トロットマン氏からどんな話を聞かせてもらえるのか。10月の再会が楽しみだ。

（２０１６／10／３）

都市の魅力づくりに大学の力を

２０１６年10月5日、岡山市役所にて大森雅夫市長とカトリーヌ・トロットマン氏による大学と都市のまちづくりに向けた意見交換が行われた。彼女は、都市が成長するには、都市が人々に自由を与え、その能力を開花させる空間を持つべきだという、人間解放のまちづくりを説く。富む者だけが豊かになるのではなく、子どもからお年寄りまで、そして、新生活を始める若者たちを含めたすべての市民がまちづくりの恩恵を受けるべきであり、その中で大学が果たす役割は大きくなっていると言う。大森市長が、「岡山市の経済を支えるには良い人材が必要です。トロットマンさんは講演会の中で、都市と若者の関係を、『宝石箱とダイヤモンド』に例えられていましたが、大学と都市の連携はどのような目的があるのかを教えてください」と問うと、トロットマン氏は、次のように答えた。

「フランスでは大学が、都市の魅力を発展させるための基本的な要素になっています。地域の発展に大学が最も優先的な存在であることを、経済界の皆様に理解してもらうのが私の最初の仕事でした。たとえばストラスブールでは、パリに次いで科学会議が多く開催され、世界から研究者が集まってきます。また、大学は長期戦略の投資先になっています。私は、経済界にその大切さを知ってもらい、どのような協働関係が築けるか模索しました。都市と大学の連携についてですが、第一の目的は、成長戦略であり、国際的な知名度を上げることです。二つ目の目的は、脱工業社会といった情報・知識社会に対応するためです。大学への投資は、新しい時代を作るための準備につながります。これからは、サイエンス、テクノロジー、健康産業が重要になっていくのです」

市長がストラスブールと岡山を比較して、「ストラスブールは路面電車が充実していますね。岡山市民72万人の生活は、車が中心となっており、点から点の移動になっています。ですから、もっと中心市街地を歩いて楽しんでもらいたいと考えています。また、お年寄りは車の運転が難しいため、路面電車など公共交通が大切になってきます。あなたはどのような目的で公共交通を充実させたのですか」と問うと、市街地活性化について次のように教えてくれた。

「歩行者を増やして、中心市街地の活気を蘇らせるためです。それで、私は路面電車を整備し、まちの再構成を目指しました。都市空間や歩行者空間に注目したのです。また、各地区の平等性を考えました。単なる活性化ではなく、都市改造です。路面電車は、周辺部の地区を変え、景観を美しくし、質の高い開発を促します。路面電車は適正な運賃を考え、利便性を高めて、魅力をアピールしないと利用してもらえません。デザインも大切ですし、安全性を高めるには、外から見える透明性も必要です。バリアフリー設計にし、誰にでも大変アクセスがよいようにしています。当初は貧しい人しか使わないと言われていましたが、今では誰もが使っています」

大森市長（左奥）と意見交換をするトロットマン氏（右から二番目）

路面電車による都市改造は、環境配慮型の成長戦略に直結する。彼女は、路面電車を推進するにあたっての市民の反応について語る。

「路面電車の整備によって、市民の健康増進も進めました。車の使用量を減らし、市街地の大気汚染を抑えたかったのです。そこで、路線工事を始めるのと同時に、環境の意識を高めるため『エコロジー都市憲章』を市民に提案したところ、二酸化炭素の削減、騒音などを含めて賛同が得られました。もちろん、反対もたくさんありましたよ。その説得には、世界遺産の大聖堂を例に挙げました。大気汚染で黒くなってしまった大聖堂を、子どもたちからお年寄りまで見ていただいたところ、これはひどいとみんなが言ったのです。市民が公共交通をもっと使うようになれば、まちはもっときれいになるのです」

まちの景観は、住む人の健康状態を表しているといえる。彼女は、何度も住民集会を開き、路面電車を整備し、人々の気持ちを変えていった。では、岡山のまちはどうなのだろうか。彼女は、後楽園を中心とした都市空間の美しさを賞賛し、まちづくりの変化を丁寧に追う大切さを述べた。

「岡山の後楽園においても、同じことが言えるでしょう。すばらしい空間は、まちの雰囲気や文化で成り立っているのです」

大森市長は最後にこう述べた。

「岡山市は政令指定都市の中で事故死亡率の高いまちとなってしまっているため、まちの構造を変えていかないといけません。後楽園をはじめ、もっと歩きやすいまちを作りたい。話を聞いて、今進めていることは間違っていないと思いました」

二人の対話は30分ほどであったが、大学と都市のまちづくりを深めるための大切なヒントを得ることができた。

（2016／10／12、2016／10／15）

ストラスブールを歩く

歩行者空間から生み出されるもの

２０１７年、岡山市の県庁通りでは、二車線を一車線にし、歩行者空間を広げる計画が進められている。歩いて楽しいまちづくりの実現に向けたものだ。市は、ワークショップを通じて沿道の事業者から意見を募り、県庁通りだけでなく中心市街地一帯をどのようにデザインし、公共空間をどう変化させるべきか議論するそうだ。市が公表した県庁通りの将来図を目にしたとき、今までとは大きく異なる中心市街地の姿に可能性を感じ、好奇心も湧いた。

そんな折に、ストラスブール市を訪問する機会に恵まれた。未来の岡山市を考えるにあたり、インスピレーションが得られることを期待し、飛行機に飛び乗った。

フランス・ストラスブール市はコンパクトで歩きやすいまちだ。歴史を感じる古い建造物も魅力的で、運河沿いにはきれいな歩道も整備されている。町中に入れる車両は制限され、路面電車などの公共交通が発達している。歩道や自転車道も途切れることなく連結されているため、ショッピング、健康、通勤通学など、様々な目的での移動に適している。

歩きながら、昨年度に岡山大学で行われた、元市長・カトリーヌ・トロットマン氏の講演を思い出した。彼女は市長のときに、路面電車などの公共交通機関や道路の大幅な整備をきっかけに都市空間のありかたを見直した。車のための道路を市民のための空間に変えていけば、景観や公園などへの投資も進んでいく。そうすることで、住民の生活の質も高まり、都市での生活を楽しむことができるようになる。

さて、岡山に比べて涼しいストラスブールだが、この日は珍しく35度を超える猛暑であった。広場のテラスに腰掛け、ビールを注文する。暑い夏に、外で昼から飲む冷えたビールは格別だった。岡山の県庁通りも、将来的にこのような居心地のよい空間になるのかと思った。車を制限し、広げられた歩道を、ルールを守ったうえで歩行者が自由に利用できるようになれば、市民からのアイデアでまちの魅力がさらに高まるだろう。

ビールを飲み終え、まち歩きを再開すると、路面電車の停留所で歩行者用のマップが目に入った。15分間でどこまで歩いていけるのか一目瞭然で、これがあれば道に迷うこともなく便利だ。また、建物の多くにフラワーポットが飾られているのが印象的だった。下を向かず、前を向いてみよう。ちょっとした工夫でまちはもっと過ごしやすくなる。良い事例をうまく取り入れて、岡山ももっと楽しく変えていこう。

（2017/7/12）

県庁通りの将来図

都市空間の使い方が大切だ。人、自転車、車の共存を考えなければならない

距離感が分かる地図

視線を上げるとフラワーポットがあった

ストラスブールのテロ騒動とマルシェ・ド・ノエル

ストラスブールでテロ騒動に遭遇

暖かいクリスマスの灯りに包まれるはずのストラスブールが、ひっそりと悲しく、喪に服していた。

ストラスブール大学での会合のため、12月11日の夜8時30頃にストラスブール駅に到着したが、いつもの駅と様子が違うのはすぐに分かった。車が中心部に入れないだけではなく、サイレンが鳴り、軍隊や警察が慌ただしく動いている。タクシーに乗り、運転手に聞いてみると、市街地で発砲があったとのこと。マルシェ・ド・ノエルが行われる12月のストラスブールは200万人もの観光客が訪れる最も華やかな時期である。まさか、銃撃テロが起きるとはだれもが想像していなかった。

テロの翌日、多くの店が閉まっており、イルミネーションも消えている。街を歩く人は少なく、

市街地を巡回する警察官

橋では検問が行われていた

夜のイルミネーションが消えた街

カテドラル（大聖堂）前の店も閉店していた

軍隊や警察の車が停車し、世界各国のメディアが集まっている。中心市街地につながる道や橋には検問所が設けられ、バッグや持ち物のチェックが行われている。実行犯が見つからない中で、学校や大学に学生は少なく、路面電車の停車駅も限定され、日常生活に大きな影響が及んでいた。

古い街並みを残す観光名所のプティットフランスも静まりかえり、ホテルのキャンセルも相次いでいるそうだ。市民は、「きっと明日からは元に戻っている」と話しながらも、やはり不安の表情は隠せない。テロがあった日は、翌未明2時まで中心市街地から出ることもできなかったそうだ。フランスとドイツの国境沿いに厳しい検問所が設けられ、一台一台車を調べるため、通勤に2時間もかかったそうだ。ドイツ在住の教授は、筆者とのミーティングに間に合わせるため自転車で走ってきたと教えてくれた。

12月13日の午後9時過ぎであろうか、テロ実行犯の射殺がテレビで報道された。3人が亡くなり、12人が重軽傷を負った事件は大きな局面を迎えた。今回のテロの恐ろしさは、犯行が行われた市街地も、犯人が生活していた場所も、射殺された場所も、ストラスブールにとっては日常の場所であったことだ。「まさか、ここにいたとは思わなかった」と女性はテレビインタビューで答えていた。テロの犯行は広範囲にわたり、惨劇の背景もよく分かっていないため、不安が深まっていく。

フランスでは共和国に危機が訪れると、国民に連帯を呼びかける。しかしながら、政府がいくら呼びかけてもテロが多発するように、社会は既に分断しつつあることも国民は分かっている。貧困、宗教、移民、文化、言語、教育を含めて、連帯という言葉だけでは片づけられない複雑な課題を含んでいるのだ。

（2018／12／16）

アルザス地方のマルシェ・ド・ノエル

さて、テロが起こったストラスブールを離れると、まちは例年のようにクリスマスムードに包まれていた。フランスのクリスマスで楽しみなのは、各地で開催されるマルシェ・ド・ノエル（クリスマス・マーケット）だ。クリスマス用の飾り、人形、石鹸、はちみつ、ジャム、パン、チーズなど様々なものが並び、大人も子どもも楽しくなってくる。あちこちでクリスマスの準備が進み、歩いている人も、お店の人も笑顔になる。また、至るところでホットワインが売られており、一口飲むと酔いがまわり、顔は赤くなる。小さなうさぎのぬいぐるみを買ったら、「ボン・ボヤージュ！（行ってらっしゃい）」と声をかけてくれた。次第に仲良くなり、マルシェに集う人々は、大きな家族のように思われた。いろんなパフォーマンスも開催され、年齢に関係なく、まち全体で楽しむ雰囲気があり、童心に戻ることができる。

今回は、アルザス地方で中世のクリスマスを再現する町・リボヴィレ（Ribeauvillé）を訪れた。ストラスブールから約75キロ離れ、中世よりワインの生産を続けている人口約５０００人の町だ。アルザス地方の特色は、ドイツやスイスの国境に接し、歴史的に様々な文化が入り混じっていることだ。たとえば、公用語はフランス語であるが、地元で使われるアルザス語はドイツ語に近いそうだ。地名も名前もドイツ語圏と言った方がしっくりくるだろう。ビールを煮込み料理に使う

背の高い魔法使い

多くの人が行き交うリボヴィレの中心市街地

天秤付きブランコ。たくさん食べたのはどっち？

甘くておいしいリンゴ

食文化もユニークだ。

　まちを歩くと面白いものを見つけた。一つめは、絞りたてのリンゴジュースだ。大量のリンゴを一気に絞り出す。当然美味しい。昔からの作り方・飲み方は、冷たくて新鮮で、味が強かった。次に、イノシシの丸焼きだ。巨大なグリルで回転する姿を見て、思わず近寄った。そして、闊歩するパフォーマー。本や映画に出てくる主人公が鎧をまとっていてかっこいい。足の長い魔法使いは、じっとしているが、時折動き出して、子どもを追いかけている。素早い魔法使いの動きに子どもたちは圧倒されていた。

まちづくりの基本は、そこにあるものを活かし、まずは住民自身が楽しむことだ。ストラスブールでの悲しいテロ事件をしばしの間忘れさせてくれる、心温まる一時だった。

（2018／12／19）

パリ　季節を楽しむ空間づくり

2019年3月、フランス出張の初日、パリ中心市街地のオペラ座付近に向かっているつもりが、間違って反対方向へ歩いてしまっていた。パリ東駅から南に行くべきところを、北へ歩いていたのだ。調べてみると、ウルク（L'Ourcq）運河からラ・ヴィレット公園（La villete）に向かっていたようで、大回りになるが、せっかくなのでパリの暮らしを少しのぞいてみようと思った。船が停泊している運河沿いでは、散歩を楽しむ人、走る人、自転車で通勤する人、犬を連れて歩く人が行き交っている。アソシエーション（市民結社）が運営する自転車修理工場のそばにパリ市が運営する都市農園を見つけた。小さい面積ながら思い思いの花や野菜が植えられている。なぜこんなに狭い場所に作るのかと思ったが、規模の大小よりも、水や緑に気軽に触れて楽しめることが大切なのかもしれない。そこから、ラ・ヴィレット公園にあるシテ科学産業博物館に到着すると、路面電車乗り場があった。この路面電車は中心市街地ではなく、周辺部をつなぐ路線であった。せっかくなので20分ほどかけてナシオン（Nation）方面まで行ってみた。

ナシオンは、パリの東に位置し、交通アクセスに優れた場所で、治安も悪くない。生活費や家賃は幾分安い地区のようだ。観光客は少なく、パリの生活区である。有り難いことにマルシェが開かれていた。国内外に限らず、地域の生活を知るにはマルシェが良い。季節の野菜、魚の種類、人々の服装、客層、有機食品の店舗数、地産地消の浸透度も分かり、何より鮮度が良く、価格が安い。

筆者は学生時代に4年に渡るフランス生活で、マルシェから季節の大切さを教わった。南西部のボルドーにいた頃、夏にお好み焼きを作るため、マルシェでキャベツを探していたら、「今はキャベツじゃなくて、トマトのシーズンだから売ってないぞ」と生産者に笑われた。また、ラタトゥイユ（トマトベースの野菜煮込みスープ）は、採れすぎた夏野菜を保存するため瓶詰めにしているとも教えてくれた。また、冬にクリスマスケーキ用のイチゴを探していたら、「イチゴは春の食べ物だ」とまた笑われた。お店の主人には季節感のない不思議な客だと思われていただろう。日本も季節の料理を大切にする国だが、北から南に国土が長いため、食材はなんとか手に入る。とても便利なことなのだが、季節によっては手に入らない食材があることを忘れてしまっていたよ

都市農園では好きな花や野菜を育てる

キャラメルがたっぷりのクレープ

噴水の周りに椅子が並べられている。みんな自由に過ごす

道端の花壇は植栽豊かで面白い

うだ。生活は季節の時間を大切にした方がもっと変化に富み、より豊かさを感じられる。マルシェでは、キャラメルのクレープもいただいた。すぐ生地を焼いて、たっぷりのキャラメルをかける。300円ほどでシンプルながら食べごたえ満点だ。

最後は地下鉄に乗ってパリの中心市街地に到着したが、また道に迷ってしまった。しかし、パリの街中には公園やカフェが多く、腰を下ろす場所も多い。パレ・ロワイヤル庭園（Jardin du Palais Royal）では、噴水の周りで本を読んだり、ご飯を食べたり、携帯をいじったり、談笑したりする人々がいた。春が近づき、みんな外で過ごすのを楽しみにしている。今回、目的地には遠回りであったが、季節と空間について少し考える時間がとれたのは幸運であった。さあ、それでも時間前に到着。ミーティングに臨もう。

（2019／3／22）

EU離脱に揺れるイギリス

2019年5月、ゴールデンウィークを利用して初めてのイギリス旅行に出かけた。近年、ロンドン市内の料理は多国籍で、格段に美味しくなっていると教えてもらったのでそれを楽しみにしていた。

バッキンガム宮殿の衛兵交代式を楽しんだあと、ウエストミンスター周辺を散策した。すると、ビッグベン（時計塔）で有名な国会議事堂の近くで、EU（欧州連合）独立派と残留派の路上集会に遭遇した。EU残留派は歌いながら旗を振っている。一方、離脱派はプラカードで独立を唱えている。行き交う観光客の中で異様な雰囲気だ。全く異なる主張をする双方が顔を見合わせると、お互いに「この人たちは分かってくれない」と、あきらめた様子を見せていた。

イギリスは、2016年6月23日にEU離脱の是非を問う国民投票を行った。離脱派52%、残留派48%という僅差の結果ではあったが、イギリスはEU離脱の意思を表した。しかし、3年たった今も離脱は行われず、イギリスの混乱と分裂は深まるばかりだ。イギリス政府とEU政府が離脱の時期を話し合っても、メイ首相の離脱協定案を議会が認めない状況がある（2020年1月31日、ボリス・ジョンソン首相のもとでEUを正式に離脱）。

では、どうなってしまうのか。いわゆる「合意なき離脱」で、関税など具体的事項を無視したまま離脱すると、イギリス国民の生活に悲劇的な影響を与えてしまう。ただ、国民投票から3年も経過すると、EU離脱の目的が複雑に絡み合い、「なぜ、離脱に踏み込んだのか」は、外国人を含めて理解しづらい。そこで、残留派と離脱派の考えを聞いてみることにした。まずは、残留派の老人の声である。

「EU残留は、長期的な平和と安定の保証に不可欠です。法律的な話になるのですが、EUが唱える正義や人権をご存じでしょうか？　私たちはEU離脱を経済的な理由だけで反対しているのではありません。政治的で文化的な意味を含んでいるのです。私たちはEU市民だから、毎日集まっているんですよ」

続いて、離脱派の若い女性の声である。

「EUから独立することは、イギリスの民主主義で決めたことなんです。既に決定しているため遅れてはだめなんです。今しかないんです。それが私たちの意思です。もう、後戻りできる話ではなくなっています」

彼女に、「残留派と離脱派は一緒に頑張ることができるのでしょうか？」と質問した。すると彼女は大音量の演説と歌にうんざりする様子で「もう、ただ、お互いに困っているんです」と言った。

国会議事堂に集まる市民。後ろの塔はビッグベン

イギリスのEU離脱を訴える女性

EUの前身であるEC（欧州共同体）は、第二次世界大戦の経験から、鉄や石油など資源活用のルールを作り、経済交流を深めることで、戦争のない社会を目指して出発した。現在、EU加盟国は増加し、その権限も強まる一方で、加盟国は移民問題や経済不況といった課題に直面している。

イギリス国民にとってＥＵは親しみのもてるものだろうか。ＥＵから恩恵を受けていると感じている人と、一方でＥＵから取り残されていると感じている人との間では、口には出さなかったがいらだちがくすぶっていたのではないだろうか。ＥＵの拡大で官僚機構も複雑化すると、市民はＥＵをエリートの利益機関だと思ってしまうのだ。ＥＵと国政の揺らぎが市民生活の現実で緊張を生み出している現状を肌で感じた。

（２０１９／５／２）

ロンドンでサステナビリティを味わう　バラ・マーケットのにぎわい

ロンドンで今一番人気のマーケットといえば、ロンドン橋近くのバラ・マーケット（Borough Market）だ。午前中は大混雑で歩くのさえ難しいと聞いたため、時間をずらし午後3時頃に向かった。普段は卸売市場として活気があるが、水曜日から土曜日までは一般客も楽しめるようになっている。

マーケットでは、新鮮な野菜、肉、魚、チーズはもちろん、各地から美味しい食材が届いている。ここではスーパーで売られているような工場の量産商品はあまり見かけられない。バラ・マーケットの楽しみ方は、生産者と会話を楽しみながらおすすめの品を手に入れることだ。おしゃれで洗練された店舗もあれば、主人が声を張り上げる元気のよい店舗もあるが、マーケットで働く人は笑顔と自信に溢れている。新鮮なものを手に入れる意味では、岡山の朝市も負けてはいないと思ったが、注目が集まるバラ・マーケットには、ひとつ、ふたつ特徴があるのではないかと思った。そこで、バラ・マーケットのインフォメーションにお邪魔して、マーケットのこだわりをうかがった。マダムは笑顔で教えてくれた。

「バラ・マーケットでは、プラスチックの利用をゼロにしています。つまり、全てのものがリサイクル対応なのです。果物と野菜は鮮度にこだわっています。また、２０１４年からは毎日、閉店後に残ってしまった野菜や食品は、ホームレスの方などへチャリティーで提供しているんです。再利用できるものは積極的に取り入れることで、１００％がサステナビリティであってほしいと私たちは考えているのです」

サステナビリティ（持続可能性）をマーケット全体で実現する姿に、感銘を受けた。まず、サステナビリティを中心に据えたことで、賛同する生産者が集まり、味も鮮度も良くなったそうだ。また、商品が生産者から消費者に届くまでにどれくらいの二酸化炭素が使われたのか（環境負担）や、食品廃棄を減らすことができるのか（フードロス）を強く意識しているようだ。

トマトの種類は様々だ。季節で一番のものを選ぶ

サステナビリティは美味しさの秘訣。世界のお茶を販売

「サステナビリティがすべて！環境をリスペクトしよう！」と書かれている

お洒落な店舗が多い。さて、どこに行こうか

にぎわうバラマーケット。食事の場所探しも大変だ

「お客さんはサステナビリティとオーガニックが大好きです。マーケットでは、どこで生産されたのか、だれが作ったのか、どれくらい遠い場所からやってきて、リサイクル可能なのかを考えています。もともと1000年前から、テムズ川に近いという土地柄を活かして、地方から食べ物が集まっていました。バラ・マーケットは、昔から人気がありましたが、近年、サステナビリティに関心が高まり、食品の廃棄を嫌う傾向が強まっていくと、ますます人気が出てきました。新鮮であるのと同時に、実は味がとても重要で、マーケットで扱う商品は、シェフのテイスティング（試食）が行われているのです。新しいチーズを持ってこようとすると、シェフが味を確かめ、品質を保っているのです。だからいつも高い水準を維持できるのです」

サステナビリティを追求するほど、品質は高まり、味も良くなり、環境にも優しくなる。バラ・マーケットはサステナビリティを味わうロンドンのショーケースになっているのだ。

岡山での生活でも、ロンドンのように食を通じてサステナビリティを考えることが大切だ。フードロスや食の安全性は、生産者と消費者が取り組んでいかなければ解決に結びつかない。まずは身近なところから意識を変えていこう。

（2019／5／5）

おわりに

本書は、まちづくりに挑戦する様々な人や取り組みを紹介してきた。まちづくりに大切なものがそれぞれのエピソードから感じ取れるはずだ。取材を通じて、住みやすいまちを創るためには、市民がまちの将来設計に積極的に参画することが大切だと感じられた。

岡山の生活も今年でちょうど10年となった。この間、筆者に影響を与えた三人の言葉を紹介したい。

「まちづくりの秘訣は、ワクワクとドキドキを大切にすること。それぞれのまちにあるシークレット（隠れた魅力）を探しなさい。そして、真似るのではなく、自分のまちのどこがユニークなのかを明らかにしましょう」

ポートランドのスティーブ・ジョンソン氏の言葉だ。彼は、課題解決に取り組む前に自分の住

閑谷学校。岡山まちづくり探検は続いていく

んでいるまちが好きになれるような授業を行っている。

「若者はダイヤモンド。まちは宝石箱」

若者と都市の関係を分かりやすく説く、ストラスブールのカトリーヌ・トロットマン氏の言葉だ。若者が輝くためには、まちそのものが美しくなければならない。若者がまちに魅力を感じていなければ、地域への愛着も生まれず住み続けたいとも思わないはずだ。

「人生が、都市をかたちづくるのであろうか。それとも、都市の中で人生がかたちづくられるのであろうか。私たちは都市をつくり、都市が私たちの人生をつくる。だから、ライフスタイルは、どのような都市に住むかによって大きく変わってくる」

コペンハーゲンのヤン・ゲール氏の言葉だ。彼は、大規模な都市開発や車社会の発展の中で、人間自身への関心を大切にする人間中心のまちづくりを説く。筆者は、都市がライフスタイルに与える影響をゲール氏から指導してもらった。

これらの言葉を胸に、岡山のまちづくりを日本各地、海外を含めた多くの読者に知ってもらいたいという思いから執筆を続けてきた。2015年に山陽新聞デジタルで連載がスタートした「岡山まちづくり探検」が、まさか5年も続くとは、当初は想像もしていなかった。

本書はまちづくりに関わる多くの方々のお話によって完成した。最後に、これまでお世話になったみなさまに厚く御礼を申し上げるとともに、今後の活動を心から応援したい。

参考文献

石原武政・西村幸夫（編）（２０１０）『まちづくりを学ぶ：地域再生の見取り図』有斐閣
伊藤邦衛（１９８８）『公園の用と美』、同朋舎
岩淵泰・セルツァー，イーサン・氏原岳人（２０１７）「オレゴン州ポートランドにおけるエコリバブルシティの形成：都市計画と参加民主主義の視点から」『岡山大学経済学会雑誌』48(3)pp.255-277
岩淵泰・吉川 幸・長宗武司（２０１７）「教育による地方創生戦略：教育の町『和気』構想を一例に」『岡山大学経済学会雑誌』49(1)pp. 41-68
岩淵泰（２０１７）「地方創生時代のまちづくり―矢掛町大名行列 in サンフランシスコを一例に―」『高梁川』75号、pp.57-69
岩淵泰（２０１８）「大原總一郎における地域共生の思想：高梁川流域連盟から高梁川流域連携中枢都市圏まで」『高梁川』76号、pp.4-17
岩淵泰（２０１９）『西川アーカイブス』吉備人出版
ヴァンソン藤井由実（２０１１）『ストラスブールのまちづくり：トラムとにぎわいの地方都市』、学芸出版社
上西節雄（監修）（２０１２）『備前焼ものがたり』、山陽新聞社
大原總一郎（１９８１）『大原總一郎随想全集１ 思い出』福武書店
大原總一郎（１９８１）『大原總一郎随想全集２ 自然・旅』福武書店

大原總一郎（1981）『大原總一郎随想全集3 音楽・美術』福武書店
大原總一郎（1981）『大原總一郎随想全集4 社会・思想』福武書店
岡山市水道局（1967）『岡山市水道誌資料編』
岡山市百年史編さん委員会／編集（1989）『岡山市百年史上巻』
岡山市百年史編さん委員会／編集（1991）『岡山市百年史下巻」
岡山市（2010）『1945年6月29日岡山空襲の記録』
クレス，クリスティーン・M.、コリアル，ピーター・J.、ライタナワ，ヴィッキー・L.（2020）『市民参画とサービス・ラーニング』（吉川幸・前田芳男監訳）、岡山大学出版会
小池直人、西英子（2007）『福祉国家デンマークのまちづくり：共同市民の生活空間』、かもがわ出版
坂本治也（編）（2017）『市民社会論：理論と実証の最前線』、法律文化社
篠原一（2004）『市民の政治学：討議デモクラシーとは何か』、岩波新書
柴田一（2008）『京橋の話』瀬戸内の島々交流協議会
柴田一（2012）『岡山県謎解き散歩』、新人物文庫
柴田久（2017）『地方都市を公共空間から再生する』、学芸出版社
スティーブ・ジョンソン&岩淵泰（2015）「ポートランドのまちづくり物語」、『現代公共政策のフロンティア』荒木勝監修、岡山大学出版会、pp.319-337
髙田昭雄（2016）『水島の記録 1968-2016』、発行：（公財）水島地域環境再生財団発行、発売：吉備人出版

高梁川流域連盟（１９５４）『高梁川』創刊号
坪田譲治（１９８１）『かっぱとドンコツ』、講談社文庫
内閣府地方創生人材支援制度派遣者編集チーム（編）（２０１６）『未来につなげる地方創生：23の小さな自治体の戦略づくりから学ぶ』、日経ＢＰ
野林正紀（２００９）『サムライパレード à ALSACE（アルザス）～海を越えた絆～』
広井良典（２０１３）『人口減少社会という希望：コミュニティ経済の生成と地球倫理』、朝日新聞出版
福岡孝則、遠藤秀平、槻橋修（編著）（２０１７）『Livable City（住みやすい都市）をつくる＝Creating Livable Cities』、マルモ出版
藤山浩（２０１５）『田園回帰１％戦略：地元に人と仕事を取り戻す』、農山漁村文化協会
増田寛也（２０１４）『地方消滅：東京一極集中が招く人口急減』、中公新書
藻谷浩介（２０１３）『里山資本主義』、角川書店
山崎満広（２０１６）『ポートランド 世界で一番住みたい街をつくる』、学芸出版社
ヤン・ゲール（２０１４）『人間の街：公共空間のデザイン』、鹿島出版会
吉田健二（２０１０）「大原社会問題研究所創立45周年記念講演会について・大原社研創立45周年記念講演：大原總一郎「大原社会問題研究所の誕生」」、『大原社会問題研究所雑誌』２０１０年（９・10月）（623・624）、pp.59-71
リチャード・フロリダ（２００９）『クリエイティブ都市論：創造性は居心地のよい場所を求める』、ダイヤモンド社
レイ・オルデンバーグ（２０１３）『サードプレイス』、みすず書房

■著者紹介
岩淵　泰（岡山大学地域総合研究センター・副センター長・准教授）
1980年福岡県生まれ。熊本大学社会文化科学研究科修了。フランス・ボルドー政治学院留学。カリフォルニア大学バークレー校都市地域開発研究所客員研究員（IURD）を経て、現職。
これまでの主な論文、著書。
・岩淵泰（2017）「地方創生時代のまちづくり―矢掛町大名行列inサンフランシスコを一例に―」『高梁川』75号、pp.57-69
・岩淵泰（2019）『西川アーカイブス』吉備人出版
・岩淵泰（2019）「大原總一郎の社会開発論―経済至上主義を超えるために―」『高梁川』77号、pp.103-121
・岩淵泰（2021）「SDGsのまちづくり―岡山県真庭市の地域循環共生圏―」『耐火物』（737）、pp.372-376

岡山まちづくり探検　地方創生時代の市民活動集

2021年11月4日　発行

著者　岩淵　泰

発行　岡山大学地域総合研究センター
〒700-0082 岡山市北区津島中1丁目1－1
電話／ファクス 086-251-8491
ウェブサイト https://agora.okayama-u.ac.jp/

発売　吉備人出版
〒700-0823 岡山市北区丸の内2丁目11-22
電話 086-235-3456　ファクス 086-234-3210
ウェブサイト www.kibito.co.jp　メール books@kibito.co.jp

印刷　株式会社三門印刷所

製本　株式会社岡山みどり製本

ISBN978-4-86069-667-2　C0036